커피머신과 제빙기 수리 관리

커피머신과 제빙기 수리 관리

초판인쇄 2024년 1월 09일
초판발행 2024년 1월 12일

지은이 양우진
펴낸이 이재욱
펴낸곳 (주)새로운사람들
디자인 김남호
마케팅관리 김종림

등록일 1994년 10월 27일
등록번호 제2-1825호
주소 서울 도봉구 덕릉로 54가길 25(창동 557-85, 우 01473)
전화 02)2237.3301, 2237.3316 **팩스** 02)2237.3389
이메일 ssbooks@chol.com

ISBN 978-89-8120-659-8

커피머신과 제빙기 수리 관리

새로운사람들

인사말

A/S는 공감이다.

서비스는 말로 하는 것이 아니다. 고객의 불편함에 공감하는 마음으로부터 출발한다. 다시 말해 머리와 지식으로 하는 것이 아니라 몸으로 하는 것이다.

필자는 오랫동안 매년 약 1,000~1,200개 업소의 에스프레소 커피 머신, 제빙기, 온수기, 믹서기, 커피 브로워, 각종 냉동 장비, 그라인더, 오븐기, 발효기, 빙수기, 보온기 등 카페 및 요식업소의 장비들을 설치하고 수리해 왔다.

현재도 A/S 현장에서 출장 수리와 업체의 입고 및 수리작업을 진행하고 있으며 특히 수리 중 어려움을 겪는 업자들을 상대로 기술 지도를 하고 있다. 뿐만 아니라 젊은이들이 국내와 해외에서 저비용으로 창업할 수 있도록 지속적인 인재 양성을 하고 있다.

최근 커피머신, 제빙기, 쇼케이스, 그라인더 설치와 A/S에 대한 교육 중 전기, 수도, 커피머신, 제빙기에 대한 지식이 서로 상이함을 보게 되었고, 종사자들을 위한 이론과 실기에 대한 지식의 정립이 필요하다는 것을 느끼게 되었다.

책을 출간한 경험이 없지만, 관련 종사자들과 후학들을 위해 현장에서 실제 도움을 얻을 수 있도록 경험을 바탕으로 직접 촬영하고 사례별로 해결방안을 서술하여 작성하였다.

책의 구성이나 문맥의 흐름이 미흡할 수도 있으나 현장의 상황에 따른 해결책을 경험에 의해 최대한 반영하여 서술하였으니 내용에 많은 관심을 가져주기 바라며, 추후 부족한 부분은 충실히 보충하여 더욱 완벽한 기술서로 자리 잡도록 노력하고자 한다.

이 책을 통해 요식업소의 장비들이 최상의 상태로 유지되기 바라며, 제조회사에서 제공하는 머신별 관리 매뉴얼을 잘 숙지하여 에스프레소 커피 머신과 카페 장비의 관리나 수리에 도움이 되기 바란다.

특히 약60개의 QR코드 동영상을 촬영해 준 제자들에게 감사의 마음을 전한다.

또 바쁜 일정으로 촬영에는 참여하지 못했지만 격려와 성원을 아끼지 않은 많은 제자들에게도 더불어 감사하는 마음을 전하며, 이 책의 출간을 위해 도움을 준 사무국장, 황성준 약사, 양윤영에게도 고마움을 전한다.

용어정리

커피머신 부품의 용어 정리

커피머신 부품의 용어들이 서로 달라 통일하기 위하여 이 책에서 사용할 명칭과 용어를 다음과 같이 정리하였다.

번호	추천 용어	시중에 사용되는 부품의 명칭
1	볼 밸브	BALL VALVE, 나비밸브, 수동밸브, 수동 급수 나비밸브
2	블라인더 필터	BLIND FILTER, STEEL BLIND FILTER, 블라인드 필터, 블라인더 바스켓
3	스팀 개스킷	BLIND GASKET, 블라인드 개스킷, 스팀 밸브 개스킷, 블라인드 스팀 개스 킷
4	스팀 게이지	BOILER PRESSURE GAUGE, 보일러 압력게이지, 스팀 압력게이지
5	과압력 배출기	BOILER VALVE, 보일러 밸브, SAFETY VALVE, 보일러 안전밸브, 안전 밸브, 릴리프 밸브
6	듀얼 압력게이지	BOILER-PUMP PRESSURE GAUGE, 보일러 펌프 압력게이지, BOILER PUMP MANOMETER, 보일러 펌프 압력계, 듀얼 게이지
7	분사 노즐	BREW GROUP SPRAY NOZZLE, 추출 그룹 분사 노즐, GROUP SPRAYER, 그룹 스프레이 노즐, 워터 노즐
8	스파우트 밸브	BREWING VALVE, 추출 밸브, INFUSION VALVE, 인퓨전 밸브, COMPLETE SPOUT VALVE, INFUSION VALVE ASSEMBL
9	스팀 손잡이	ANTI SCORCH RUBBER SLEEVE, 화상방지 고무커버 손잡이, 스팀 파이프 고무 손잡이, 스팀 파이프 플라스틱 고정 클립
10	콘덴서	CAPACITOR, 커패시터, 모터 콘덴서, 기동 콘덴서, 운전 콘덴서
11	역류방지밸브	CHECK VALVE, NON RETURN VALVE, 체크 밸브
12	E링	CIRCLIP, 서클립, SEEGER RING, 고정 링, 클립
13	호퍼통	COFFEE HOPPER, HOPPER, 호퍼
14	에바센서	THERMOSTAT FOR EVAPORATOR(증발기에 부착된 온도조절장치)
15	마그네틱 스위치	CONTACTOR, 접촉기, 컨텍터-접촉기
16	앞판	CONTROL PANEL, 프론트 패널, TOUCH PANEL, 터치 패널
17	바스켓	CUP FILTER, POD FILTER BASKET, 포터필터 바스켓, 컵 필터
18	액정	디스플레이 서킷보드, DISPLAY, CIRCUIT BOARD, 디스플레이
19	메인보드	DOSING DEVICE, CONTROL BOX, 마더보드, PCB
20	도저통	DOSER CYLINDER, 도저 실린더, 도저렌즈
21	도저 리턴 스프링	DOSER LEVER RETURN SPRING, RETURN SPRING, 도저 레버 리턴 스프링

번호	추천 용어	시중에 사용되는 부품의 명칭
22	도저 뚜껑	DOSER LID, 도저 리드
23	배수통	DRAIN TRAY, 배수트레이, 드레인탱크, DRAIN TUB
24	열교환기	EXCHANGER BREW GROUP, 그룹 추출수 교환기, GROUP EXCHANGER THROUGH NEUTRAL, HEAT EXCHANGER
25	과수압 밸브	EXPANSION VALVE, 확장 밸브, 과압 밸브
26	포터 필터	FILTER HOLDER, 필터 홀더, PORTA FILTER
27	스파우트 커플링	FILTER HOLDER COUPLING, 필터 홀더 커플링, CLAMPING RING
28	개스킷	FILTER HOLDER GASKET, 필터 홀더 개스킷, PORTA FILTER GASKET
29	포터 필터 스프링	FILTER LOCKING SPRING, 필터 잠금 스프링, FILTER SPRING, 바스켓 스프링
30	피팅	FITTING, COUPLING, 커플링
31	유량계	FLOW METER, 플로우미터
32	그라인더 날	GRINDING BURRS PAIR, 그라인딩 버, GRINDING BLADES
33	그룹 헤드 개스킷	GROUP GASKET, 그룹 개스킷
34	히팅 코일	HEATING ELEMENT, 히팅 엘리멘트, 히터
35	유량계 임펠러	IMPELLER, 임펠러, 플로우미터 임펠러, 플로우미터 테프론 휠
36	손잡이	KNOB, 노브, (스팀/온수) 핸들 손잡이
37	수면계 유리	LEVEL GLASS, 레벨 글라스, SIGHT GLASS, 수위 유리관, 수위 게이지
38	수위 감지기	LEVEL PROBE, 레벨 감지기, 수위 센서
39	고무 블라인더 필터	MEMBRANE BLIND FILTER, 블라인더 고무
40	지클러	NOZZLE, 노즐, 지글러, 워터 노즐
41	종이 개스킷	PORTAFILTER GASKET SUPPLEMENT, 포터필터 개스킷 추가물, 페이퍼 씰
42	릴레이	POWER RELAY, 파워 릴레이
43	수압 게이지	PRESSURE GAUGE PUMP, PUMP MANOMETER, 펌프 압력게이지, 수압계
44	압력 스위치	PRESSURE SWITCH, 펌프 압력계
45	균열	크랙, 벌어짐, 표면 파손
46	스팀, 온수 밸브	WATER/STEAM TAP, STEAM/WATER VALVE
47	종이 버튼	키패드, PUSH-BUTTON, PANEL MEMBRANE
48	펌프 헤드	ROTARY VANE PUMP, 로터리 펌프, 펌프 임펠러
49	전원 스위치	SELECTOR SWITCH, GENERAL SWITCH, 선택 스위치, 스위치, KNOB, 노브

번호	추천 용어	시중에 사용되는 부품의 명칭
50	디퓨저	SHOWER HOLDER SPRAYER, SHOWER HOLDER, 샤워 홀더 분사기, 샤워 홀더 디퓨저
51	샤워망	SHOWER SCREEN, 샤워 스크린, SHOWER
52	감압통	SILENCER PIPE, DRAIN SILENCER, 배수관 소음기, 그룹 소음기, 배관 소음기, 소음기
53	솔레노이드 밸브	SOLENOID VALVE, 전자밸브
54	스파우트	POUT, 스파웃
55	스팀 파이프	STEAM WAND, STEAM PIPE, 스팀봉, 스팀 노즐
56	온도 감지기	TEMPERATURE PROBE, 온도센서
57	과열 방지기	THERMOSTAT, SAFETY THERMOSTAT, 온도조절장치, 서머스탯, 안전 온도조절장치, 과열차단기
58	빈센서	THERMOSTAT FOR CONTAINER, 얼음 저장통 센서
59	트랜스	TRANSFORMER, 도란스, 파워, 변압기
60	진공 방지기	VACUUM VALVE, ANTIVACUUM VALVE, 진공 밸브, 에어밸브, 진공방지 밸브
61	급수 분배기	WATER INLET TAP, CHARGING VALVES UNIT AUTOFILL, 자동충전 밸브, 급수밸브 연결 바디 유닛, 급수밸브
62	온수 노즐망	WATER PIPE NOZZLE, AERATOR FOR HOT WATER NOZZLE , 온수 파이프 노즐
63	과열된 물 빼주기	열수 흘리기, 뜨거운 물 제거하기
64	그룹 헤드 피팅	DRAIN SLEEVE, UPPER SLEEVE, 헤드 상단 내부 슬리브

인사말 / 4

커피머신 부품의 용어 정리 / 5

제1장 커피머신의 역사와 종류

커피머신의 역사 / 14
커피머신의 제조사별 종류 / 16
에스프레소 커피머신 / 19
드립용 커피머신 / 22

제2장 커피머신의 구조

외부 구조와 명칭 / 24
내부 구조와 명칭 / 25
외장 케이스 / 28

제3장 커피머신의 물 흐름도

온수 스팀 추출과정 / 36
커피 추출과정 / 37

제4장 커피머신의 부품

펌프 모터 / 40

펌프 헤드 / 45

진동 펌프 / 49

1way 밸브 / 51

2way 솔레노이드 밸브 / 52

3way 솔레노이드 밸브 / 56

유량계 / 61

보일러 / 66

열교환기 / 75

그룹 헤드 / 79

지클러 / 85

샤워 망(샤워 스크린) / 89

개스킷 / 94

포터 필터 / 101

온수 스팀 밸브 / 107

수위 감지봉 / 111

터치 버튼 / 114

메인보드(PCB, 마더보드, 파워보드) / 125

커피머신 센서(감지기) / 137

무접점 릴레이(SSR) / 142

접점 릴레이 / 145

마그네틱 스위치 / 147

압력 스위치 / 149

전원 스위치 / 153

히팅 장치 / 155

진공 방지기 / 160
과압력 배출기(릴리프 밸브) / 162
과수압 밸브 / 164
과열 방지기 / 166
수면계 / 170
냉온 믹싱 밸브 / 173
압력 게이지 / 176
온수 라인 / 179
스팀 라인 / 181

제5장 커피머신의 설치

전기 / 184
급수, 배수 / 190
테스트와 참고사항 / 191

제6장 커피머신의 관리

커피머신의 청소 관리 / 194
물과 정수필터 / 196
스케일 / 202
튜닝 / 209
커피머신의 동파 / 212

제7장 커피머신의 고장 증상과 수리점검 Q&A / 217

제8장 공구 사용법

공구를 손에 잡을 때의 마음 / 244
각종 공구 사용시 주의사항 / 246
전기 관련 공구 사용법 / 249
수도 관련 공구 사용법 / 253
공구 리스트 / 256

제9장 부가장비

그라인더 / 262
온수기 / 274
테이블 냉동 냉장고 / 278
눈꽃 제빙기 / 280
빙삭기, 크라샤 / 281
스티머 / 282
캔시머기, 고주파 접합 포장기 / 283

제10장 제빙기

제빙기 종류 / 286
냉동 사이클 / 288
냉동 원리 / 289
냉동 시스템의 주요 구성품 / 291
냉동의 흐름을 제어하는 부품 / 292
제빙기의 작동에 관여하는 부품 / 293
제빙기 고장 및 수리에 관한 Q&A / 301

제1장 커피머신의 역사와 종류

커피머신의 역사

커피머신의 제조사별 종류

에스프레소 커피머신

드립용 커피머신

커피머신의 역사

커피머신의 역사는 커피의 기원으로부터 시작하여 그동안 사용되었던 수많은 커피 추출 기구까지 거슬러 올라가면서 살펴볼 수 있다. 이에 대한 내용은 기존 출판물에서도 다양한 각도에서 이미 많이 다루어졌고, 인터넷에도 좋은 자료들이 많기 때문에 이 책에서는 자세하게 언급하는 대신, 그러한 자료들 중에서 특히 현대 에스프레소 커피머신에 직접적이고도 중요한 영향을 끼친 커피머신들의 역사를 간략하게 서술하고자 한다.

에스프레소 커피머신은 이탈리아의 안젤로 모리온도(Angelo Moriondo)에 의해 1884년 토리노 전시회에서 특허로 출원되었다. 분쇄된 커피가루에 스팀, 즉 증기압을 이용해 에스프레소 원액을 추출하는 방식이었다. 신속한 커피 추출이 어려워서 대용량 커피양조기계로 분류되기도 하였다.

1901년 루이지 베제라(Luigi Bezzera)는 안젤로 모리온도의 커피머신을 개량하였는데, 이때부터가 에스프레소 커피머신의 시작이라고 볼 수 있다. 증기압으로 커피를 통과시킨 뜨거운 물을 짧은 시간에 추출할 수 있게 되었다.

1907년 데지데리오 파보니(Desiderio Pavoni)는 루이지 베제라의 커피머신을 보완하여 성능과 기능이 더욱 향상된 커피머신을 만들었는데, 이것이 최초로 커피머신을 양산하여 상업적으로 대중화시켰던 역사이다.

1945년 아킬레 가찌아(Giovanni Achille Gaggia)는 피스톤의 원리를 응용한 레버식 커피머신을 새롭게 개발하였다. 적절한 온도와 9기압의 추출압력을 이용해서 미세한 맛의 조절도 가능하게 되었다. 이러한 피스톤 레버방식은 1950년대 후반부터는 가정용이나 휴대용으로도 사용이 가능하도록 제작되기도 했다. 이때 커피 추출 시 향과 맛을 보전할 수 있는 거품이 형성되었는데 이것을 '크레마'라고 불렀다.

1961년 카를로 에르네스토 발렌테(Carlo Emesto Valente)가 만든 훼마(FAEMA) E61은 보일러 내부에 관통형 열교환기를 설치해서 가열된 물을 모터펌프를 이용해 9bar의 압력으로 일정하게 커피를 추출하는 데 성공하였다. 이 머신은 현대식 에스프레소 커피머신의 표준이라고 볼 수 있다.

현재 사용하는 대부분의 에스프레소 커피머신(단일형 보일러)은 발렌테가 개발한 기본 구조와 시스템을 일반적으로 활용하고 있으며, 훼마(FAEMA) E61은 지금까지도 활발하게 판매되고 있다. 훼마사는 이때부터 모델명에 개발연도를 사용하고 있다.(E61, E92, E98)

 FAEMA(Fabbrica Apparecchiature Elettro Meccanichee Affini의 약어)는 발렌테가 이탈리아 밀라노에서 1945년에 설립한 커피머신 공장의 이름이다.

1970년대 이탈리아의 라 마르조코(La Marzocco) 회사에서 추출수의 온도를 일정하게 유지할 수 있도록 두 개의 보일러 시스템을 개발했고, 2000년대에 이탈리아의 달라코르테(DALLA CORTE)가 독립 보일러 방식을 개발하여 스팀, 온수 보일러와 각 그룹의 온도를 개별적으로 조절할 수 있게 되었다.

최근에는 추출수의 온도를 유지하면서 빠른 연속 추출이 가능한 머신이 생산되고 있으며, 특히 디자인 부분에 치중하는 경향이 많다. PID와 SSR 방식을 이용하여 온도 등을 자동으로 제어해주고 전자장치와 컬러 액정 등을 부착하여 하이앤드급 커피머신으로 발전해가고 있다.

현재 커피머신은 자동점검과 물의 양 조절 등을 제어하기 위해 컴퓨터 시스템을 활용하는 방향으로 발전하고 있다. 또한 노트북, 마그네틱 키, USB 저장장치를 활용하여 동일한 메뉴, 동일한 물의 양, 동일한 스팀 등을 같은 기종의 머신에 동일하게 적용할 수 있도록 하여 대규모 체인점 등에 활용되고 있다.

최근 한국에서는 CIME 머신이 활발한 마케팅과 품질 대비 저렴한 가격으로 많이 판매되었다. 자세한 내용은 인터넷과 기타 서적들을 참고하기 바란다.

머신의 종류

커피머신의 제조사별 종류

국가	제조사	모델명
이탈리아	ASTORIA	STORM, TANYA, PORMA, HYBRID, GLORIA, NEW START
	BRASILRIA	RITO, GALA
	BEZZERA	BZ07, VICTORIA, ELLISSE, ARCADIA, GALATEA
	BFC	ELUX, MONZA, CLASSICA, EVA, LILA, GALILEO, ROYAL SYNCHRO, VALLELUNGA, KIARAJIDI
	BRUGNETTI	PROFESSIONAL, VIOLA, GIULIETTA
	CAPRESO	HA-LIFE, DMWD
	CARIMALI	GRENIUS, CENTO, DIVA, KiKO, PIATINUM CIASSIC, PRATIM, EVOLUTION
	DELONGHI	DEDICA EC685M, ECAM22
	LA CIMBALI	M39, M100, M24, M23, M26, M27, M34
	ECM	PURISTICA, TECHINICA, CIASICA
	ELEKTRA	ELE Z1A3, ALETTA AM, barLUME, KUP-3W, INDIE2, SIXTIES
	EURO	EURO 2000, FIRENZE, MAC CAFF
	FAEMA	E61(JUBILE,LEGEND), E71(Essence), E98, Amber Suther, Theorema Emblem, Enova
	FIORENZATO	ARENA, VENEZIA, MURANO
	GACCIA	Classic Pro, Brara Silver, Gran
	GRIMAC	Kimbo Grimac Selenite ESE
	LEESOMAC	Mondiale, Venus, Maverick
	LA MARZOCCO	KB90, Reba x, Strada, Linea ClassicAV, Linea PB, GB5, FB80
	VICTORIA ARDUINO	ADONISEXCELINE, WHITEEAGLE, BLACKEAGLE
	WEGA	WEGACONCEPT, POLARIS, ATLASE, IOE, PEGASO, ORION
	8B	FIRENZE
	MAGISTER	HRC100, MAGISTER DELTA
	ROCKET	BOXER, REA, R9, R58, APPARTAMENTO
	MACCO	MACCO MX-2, MX-3, MX-5

국가	제조사	모델명
이탈리아	IZZO	POMPEI, Myway, IZZO VALCHIRIA
	CIME	CO-02, CO-03, CO-05, CO-00 ZERO, SIGNATURE TOTAL BLACK
	SIMONELLI	Aurelia Wave, Apia, Oscar, Musica
	RANUBA	Ranuba ARPA, Ranuba Eva, Altiaud
	OCHESTRALE	NOTA, RADIOFONICA
	LA PAVONI	PROFESSIONAL, CREMONA
	RAPICOLA	SaraPard, CECILIA
	RANCILIO	CLASSE
	SAECO	SE200, LC200, SE300
	SANREMO	Capridelux, Joe, Verona, Cafe racer
	SPIDEM	Seko Spidem Villa, Seko Spidem Trevi
	LA SAN MARCO	85E, 100E, NEW 80 OTTONE, 105 MULTIBOILER, DUALE, LUXURYLEVA, TOP 85
	LA SCALA	La scala Norma, Ecoika, Carmen, Butterfly
	LA SPAZIALE	S2EKBASICA, SPECIALEK, S5EK, S2EK, S40, S9
	QUICK MILL	Quick Mill Rubino 0981, Pegaso
	VBM	Technique, Evolution, Rollo, Replica Pistone
	MARCFI	M990D
	DALLA CORTE	EVO2, DC-PRO
	SAB	JOLLY, Elips, Prestige
	CASADIO	UNDICI, NOVA A2
스위스	EGRO	EGRO ONE
	FRANKE	A600, A800, A1000
	JURA	E6, S8, ENA 3, Z8
	SHERER	barista, vito
	SOLIS	type 1020, 1010

국가	제조사	모델명
미국	SYNESSO	MVPHYDRA, S200, S300
	ESPRESSA	Ilips, Quadra, Sahara, EVD
호주	BREVILLE	BES870, BES878, BEP920
독일	SEVERIN	KA5978
	MELITTA	CAFFEO SOLO
프랑스	RENEKA	ELUX, MONZA, CLASSICA, EVA, LILA, GALILEO,
	UNIC	STELLA, NOVA
스페인	EXPOBAR	CARAT
	IBERITAL	IB7, TANDEM, INTENZ, EXPRESSION PRO
	ASCASO	barISTA PRO, DUOTRONIC
	QUALITY ESPRESSO	NEXT, OTTIMA, RUBY PRO
네덜란드	KEES VAN DER WESTERN	MIRAGE, SPIRIT
루마니아	HEDONE	EVO SATURATED, BUGSTER
영국	ROYAL STUART	RSKY-CM5002
모나코	CONTI	CC100, VERSE, X-ONE, XEOX, MONTE-CARLO
스웨덴	CREM	EX3, ONYX PRO
대만	KLUB	SEATTLE, L2
	GINO	TTC-812
한국	JINSUNG	KEY-STONE
	CAFE italia	FIRENZE EA-5500
	FLOWELL	EL ROCIO

상기 국가와 브랜드명은 회사의 합병, 신제품 출시 등에 의해 모델명이 변경되거나 시장에서 출시된 제품과 다소 차이가 날 수 있으며, 일부는 누락된 경우도 있으므로 참고만 하기 바란다.

에스프레소 커피머신

드립용 커피머신

제2장 커피머신의 구조

외부 구조와 명칭

내부 구조와 명칭

외장 케이스

외부 구조와 명칭

① 컨트롤 버튼   ⑧ 포터 필터
② 액정   ⑨ 그룹 헤드
③ 스팀 손잡이   ⑩ 메인 스위치
④ 스팀봉   ⑪ 메뉴 선택 버튼
⑤ 압력 게이지   ⑫ 컵워머
⑥ 드립 트레이   ⑬ 온수 버튼
⑦ 온수봉

내부 구조와 명칭

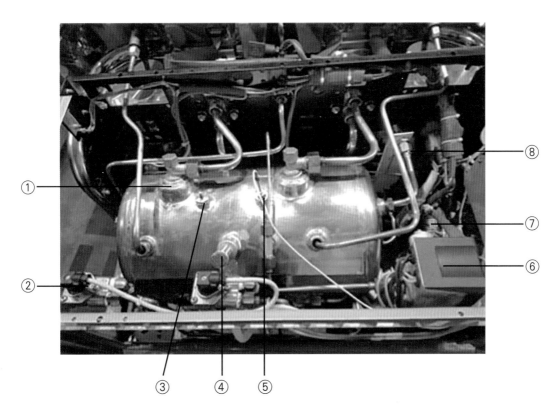

① 열교환기   ⑤ 수위 감지봉
② 유량계   ⑥ 압력 스위치
③ 진공 방지기   ⑦ 펌프 헤드
④ 과압력 배출기 ⑧ 수면계

[가스식 커피머신 Fracino]

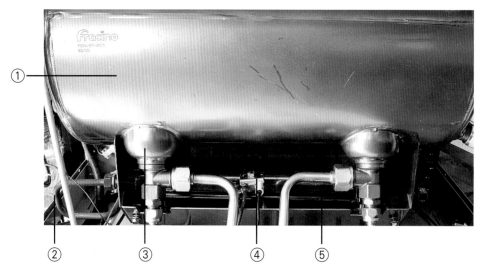

① 2그룹 일체형 보일
② 가스공급 배관
③ 열교환기
④ 가스 점화장치
⑤ 가스 버너

[WMF 머신의 내부 구조]

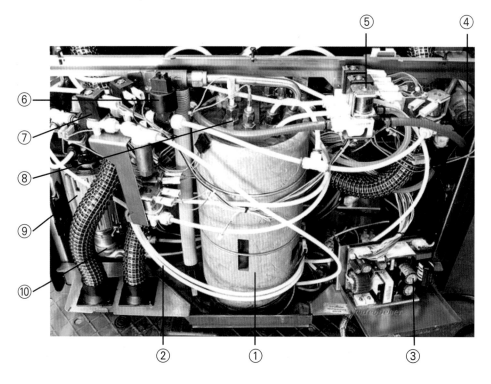

① 보일러
② 테프론 급수배관
③ 전원보드
④ 스위치
⑤ 전자밸브
⑥ 전자압력감지기
⑦ 급수전자밸브
⑧ 수위감지봉
⑨ 펌프 모터
⑩ 펌프 헤드

[자동 소형 구조 명칭]

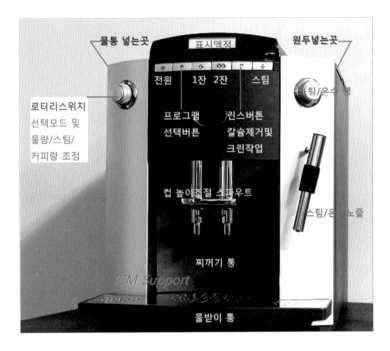

물통 넣는곳　　　　　표시액정　　　　원두넣는곳

전원　1잔 2잔　스팀

로터리스위치
선택모드 및
물량/스팀/
커피량 조정

프로그램
선택버튼

린스버튼
칼슘제거및
크린작업

스팀/온수 밸

스팀/온수노즐

컵 높이조절 스파우트

찌꺼기 통

ICM Support

물받이 통

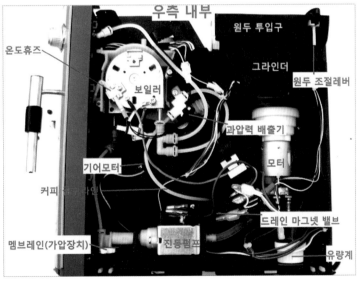

우측 내부

원두 투입구

온도휴즈

그라인더

보일러

원두 조절레버

과압력 배출기

기어모터

모터

커피추출라인

드레인 마그넷 밸브

멤브레인(가압장치)

진동펌프

유량계

외장 케이스

커피머신 수리의 기본은 외장 케이스의 분해와 수리 후 깔끔한 조립이라고 할 수 있다. 조립은 분해의 역순이다. 그러므로 분해 순서를 잘 기억해야 한다. 각종 볼트와 너트 등은 분실되지 않도록 주의해야 한다.

[형태별 종류]

• 사각형: 일반적인 머신은 스테인리스판을 V커팅이나 레이저 커팅으로 자르고 절곡 타공 후 부품 부착하고 조립하여 완성한다. 외장 케이스가 라운드형보다는 두꺼운 편이다.
• 라운드형: 얇은 판을 사용해서 자연적으로 약간 휘어지게 하는 형태로 판이 곡선을 따라 조립되도록 만든 형태이다.
• 사출형: 알루미늄이나 우레탄, 플라스틱을 이용하여 몰드에 의해 사출로 외장 케이스를 만든 방식이다.
• 최근에는 위 방식들이 혼용되어 나오는 형태로 바뀌고 있고 투명 아크릴을 이용하여 내부가 보이도록 하거나 컬러 LED 등과 조합한 형태로 만들어지고 있다.

〈매립 설치형 커피 머신〉

[외장 케이스의 기능]

- 화상 피해를 방지하기 위해 고열의 보일러로부터 안전하게 열을 차단한다.
- 전기 감전을 예방한다.
- 외부로부터의 오염물질의 침투를 차단하여 머신의 누전, 전기장치의 고장 등을 예방한다.
- 부품 고장 결함으로 인해 발생하는 과수압, 과압력, 과전류 등의 위험 요소를 외부에 전달하는 것을 차단한다.
- 내부 보일러의 히팅 상태를 유지하는 보온 기능이 있다.
- 최근에는 머신의 가치를 높이기 위해 외장 케이스 디자인 개발에 많은 투자를 하고 있다.

[다른 부품들과의 상관관계]

• 스위치, 게이지, 버튼, 레버 등을 부착할 수 있도록 제작된다.
• 내부 수면계, 히팅 진행 상태(가스식 커피머신)를 보여 주기 위해 외장 케이스에 투시창을 만들어 내부가 보이도록 제작되기도 한다.
• 압력 스위치, 펌프 헤드, 냉온 믹싱 밸브 등을 외장 케이스를 분해하지 않고도 조절할 수 있도록 외장 케이스에 조절 홈을 두기도 한다.

[외장 케이스 분해]

• 위판 분해
 커피머신의 외장 케이스를 분해할 때는 일반적으로 제일 먼저 위판을 열어서 분해한다. 위판은 보일러 상부에 위치한 부품들을 수리하거나 육안으로 보일러 내부를 검사하기 위해 분해한다.

> **주의사항**
> 위판에 컵보온기가 설치되어 있는 경우 상부의 히팅 전원을 먼저 차단하고 전원 공급 책을 분리한 후 분해한다(달라코르테, 세코 이데아, 란실리오).

① 가장 일반적인 경우는 위판의 나사(일자, 십자, 육각)를 제거하고 위로 올린다.
② 윗면과 옆면이 하나로 분해되는 경우도 있다.
③ 머신별 위판 분해 방법
  ㉠ 위판을 뒤로 당겨서 분해한다. : BFC 클래시카
  ㉡ 위판을 앞으로 당긴 후 뒤를 올린다. : 리라
  ㉢ 위판의 앞면을 뒤로 올린 후 앞으로 당긴다. : 마지스타, 콘티 제우스
  ㉣ 전면 판넬의 양쪽 육각볼트를 분해한 후 윗면을 분해한다. 이때 상부 히팅 코일 책이 누전되지 않도록 전기를 차단한다(달라코르테).

• 옆판 분해
 히팅 코일, 펌프, 펌프 헤드, 메인보드, 전기 분배기 등 옆면에 위치한 부품을 수리

할 때 분해한다.

①육각렌치로 옆면 상부 중앙의 볼트를 풀어주고 옆판을 분해 : 훼마 E98 구형

②옆판과 뒤판이 일체형 : 마이웨이, VBM, BFC 클래시카

③E61의 분해 : 옆면의 케이스를 제거하고 LED 등의 잭을 분리한 후 전면부에서 4개의 볼트를 제거하고 케이스 전체를 뒤로 당긴다.

④위판과 옆판 일체형 : 이베리탈 IB7, 오띠마

⑤옆판을 위로 당겨서 분해(착탈식) : 베제라

⑥옆판 상부와 하부의 볼트를 풀어서 분해 : 로켓, BFC

⑦클립으로 물려져 있는 부분을 전체적으로 일자 드라이버 등으로 옆판을 밀어서 분해 : 콘티 제우스, 란실리오

⑧앞뒤로 위치를 잡아 밀어서 옆판을 분해 : 달라코르테

⑨옆판 상부의 나사를 풀고 앞이나 뒤로 밀어서 옆판을 분해 : 라스파지알레

⑩옆판을 잡고 있는 여러 나사를 푼 뒤 슬라이딩시켜서 분해 : 라마르조코 리네아, 산레모, 라디오포니카

⑪레버를 제거하고 나사를 푼 뒤 아래 하부의 걸쇠를 당긴 후 분해 : 가찌아, 라파보니, 세코 일부 모델

⑫옆판의 앞쪽에 있는 걸쇠를 제거하고 밀어 당겨서 분해 : 콘티 마키아벨리, 몬테카를로

⑬일자 드라이버로 옆 스텐판 절곡 부위를 열고 분해 : 엑스포바

•앞판 분해
①옆판을 분해 후 앞판 분해 : 훼마 E98, M39
②앞판만 별도로 분해 : 라마르조코, 라스파지알레, 까리마리
③드립 트레이(하부판)를 제거하고 앞판에 있는 나사들을 제거하여 분해 : 대부분의 머신
•드립 트레이(하부판) 분해

주의사항

드립 트레이를 분해할 때는 메인보드나 전자부품에 물이 흐르지 않도록 주의해야 한다.

---

①나사를 제거한 후 드립 트레이를 분해 : 가찌아, 세코
②클립 식으로 당겨서 분해 : 레네카, 베제라
③누수, 커피 가루 등의 오염으로부터 머신을 보호하기 위해 드립 트레이 아래
   또 다른 하부 판이 있는 경우 : 아피아, 훼마 계열, 콘티 계열

주의사항
외장 케이스가 퍼즐 식으로 조립된 머신의 경우에는 분해 결합을 역순으로 해야 한다.
: 산레모의 일부 머신

[외장 케이스 관리 방법]

• 외장 케이스는 수세미를 사용하지 않고 부드러운 천이나 스펀지 등을 이용하여 청소한다.
• 커피머신 외부 색상의 변화를 주기 위해 랩핑 비닐을 사용하거나 외부 도장을 하여
  관리 할 수 있다. 참고로 랩핑이 잘 안 되는 소재는 페인트 도장으로 색상 변화를 줄
  수도 있다.
• 커피 찌꺼기, 이물질 등을 자주 청소해야 한다.

사례1) 라마르조코 GB5 분해

①상부의 판은 고정되어 있지 않으므로 위로 들어 올린다(패킹의 분실 주의).
②뒤판과 옆판을 고정해주는 사이드 판을 분해하고 뒤판과 옆판을 분해한다.
   사이드 고정 육각 볼트는 4mm로 적당히 풀어준 뒤 윗면을 당기면 쉽게 빠진다.
③뒤판과 옆판은 두 판의 사이에 있는 판을 제거한 후 윗면의 볼트 두 개를 풀고
   분해한다.
④앞판은 맨 아래 로고가 있는 판을 아래에서 앞으로 들어 올려 분해한 뒤 물받이를
   제거한 다음 앞판 볼트를 풀고 앞으로 당긴다(스위치 손잡이 주의).
⑤버튼 판넬은 양쪽 끝부분에 작은 육각 렌치를 사용하여 풀어내고 스팀 손잡이를
   제거한 뒤 분해한다.
⑥스팀 손잡이 앞의 하얀색 부분을 왼쪽으로 돌려 풀어낸 뒤, 안쪽에 있는 구간 고정
   볼트를 풀고 손잡이를 돌려 제거한다.

사례2) 아피아2 분해

①위판을 제거하기 위해 중앙에 있는 작은 십자 볼트를 제거하고 위로 들어낸다.

②옆판은 윗면 홈에 있는 십자 볼트를 약간 풀어준 뒤 당기면 제거된다.

③뒤판은 윗면 홈에 있는 십자 볼트 2개를 제거한 뒤 당기면 분리된다.

④앞판은 하부의 물받이와 아래에 있는 플라스틱판을 제거한 후 앞판 하부 좌우에 있는 볼트 2개를 제거한 후 앞으로 당긴다.

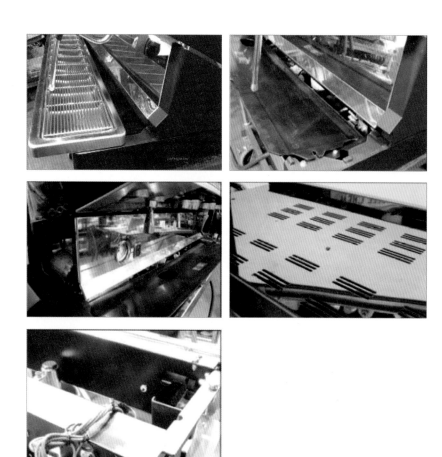

제3장 커피머신의 물 흐름도

온수 스팀 추출과정

커피 추출과정

물의 흐름도

온수 스팀 추출과정

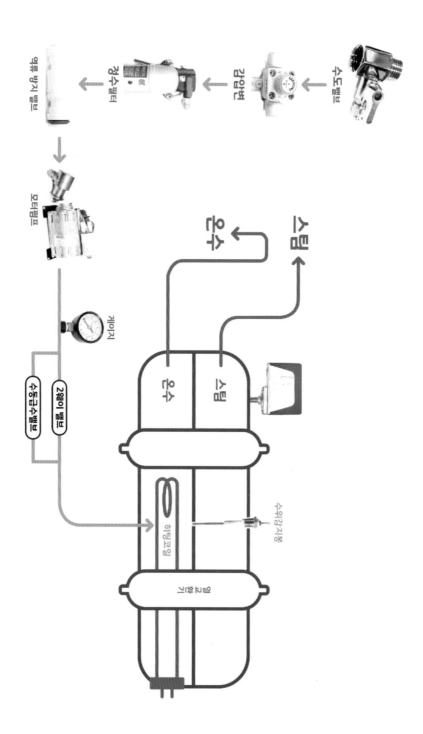

커피 추출과정

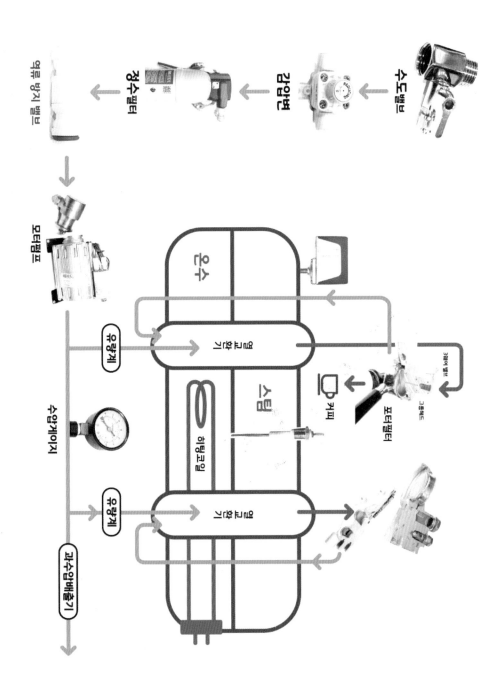

제4장 커피머신의 부품

펌프 모터

펌프 헤드

진동 펌프

1way 밸브

2way 솔레노이드 밸브

3way 솔레노이드 밸브

유량계

보일러

열교환기

그룹 헤드

지클러

샤워 망(샤워 스크린)

개스킷

포터 필터

온수 스팀 밸브

수위 감지봉

터치 버튼

메인보드(PCB, 마더보드, 파워보드)

커피머신 센서(감지기)

무접점 릴레이(SSR)

접점 릴레이

마그네틱 스위치

압력 스위치

전원 스위치

히팅 장치

진공 방지기

과압력 배출기(릴리프 밸브)

과수압 밸브

과열 방지기

수면계

냉온 믹싱 밸브

압력 게이지

온수 라인

스팀 라인

펌프 모터

 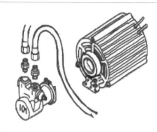 

전자석

[펌프 모터의 종류]

• 일반형

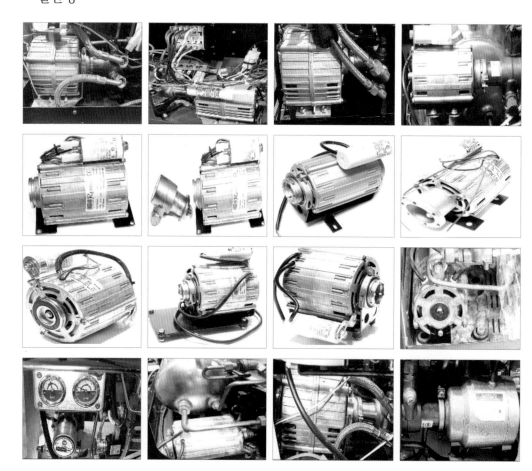

•팬 부착형: 훼마, 심바리, SM 등

•급수를 이용한 냉각형: 웨가 등

[설치되는 위치]

•펌프 내장형: 대부분 외부 급수라인과 커피머신의 내부 물 공급라인 사이에 설치
한다(주로 히팅 코일 반대편에 설치).

•펌프 외장형: 외부 급수라인과 커피머신 사이에 설치한다.

[펌프 모터의 기능]

일정한 속도(rpm)로 회전하며 펌프 헤드로 동력을 전달한다. 일반적으로 1300rpm 이상이 사용된다.

[펌프 모터의 작동 원리]

•모터는 3상과 단상으로 가동된다. 커피머신은 주로 220V 단상을 사용한다.
•모터는 코일과 구동축, 베어링, 콘덴서로 이루어져 있고, 전자석의 원리에 의해 가동된다.

[다른 부품들과의 상관관계]

•콘덴서
①순간적인 방전과 충전을 통해 모터의 기동과 운전을 담당한다. 콘덴서는 기동 콘덴서와 운전 콘덴서가 있으며, 커피머신에서는 주로 기동과 운전을 통합하여 한 개의 콘덴서를 사용하고 있다.

 콘덴서의 용량은 매우 다양하다.
5μF : 훼마 E98, E61, 6~6.3μF : 아피아
이 외에도 8μF, 10μF, 12.5μF 등이 사용된다.

②연결 클립 및 연장 어댑터 연결 볼트

펌프 모터와 펌프 헤드 사이를 연결 및 연장하여 소음을 줄이고 진동을 흡수하는 역할을 한다.

•펌프 헤드: 펌프 헤드는 분당 펌핑 능력이 50, 100, 150, 200L 등으로 다양하다. (1그룹~4그룹 등의 용량이 다르다.)

•방진고무 및 덮개 고무판: 펌프의 떨림을 방지하기 위해 고정하는 하부 볼트 및 클립에 방진고무를 부착하여 사용하고 있다. 펌프에 물이 들어가지 않도록 펌프 윗면에 고무판을 부착하기도 한다(훼마, 라심발리).

•냉각팬: 펌프의 과열을 방지하기 위하여 펌프 축에 냉각팬을 설치하기도 한다 (SM, 란실리오).

•펌프 모터 외부에 급수 라인을 감아 열 교환을 통하여 펌프 온도를 낮추기도 한다 (웨가).

[고장 증상과 수리방법]

•펌프 모터가 잘 돌지 않을 때
 ①테스터기로 콘덴서 용량을 측정하여 적정한 용량이 나오지 않을 때 콘덴서를 교
  체한다.
 ②펌프 헤드를 점검한 후 수리하거나 교체한다. 일부 부품이 잠시 굳은 경우 드라이
  버를 이용하여 움직여 주거나 망치를 이용해 축 부분에 가볍게 충격을 주면 정상
  적으로 작동 될 수 있다.

•모터 소음 → 베어링의 마모도와 소음을 검사한 후 베어링을 교체한다.

•펌프 헤드 소음
 ①수도가 잠기거나 정수기 필터의 막힘으로 소음 발생 → 급수를 열어주거나 정수기
  필터를 교체한다.
 ②베어링의 마모로 인한 소음 발생 → 베어링을 교체하거나 펌프 헤드를 교체한다.

•저압에서는 잘 작동되나 수압이 8~10bar에서는 모터가 잘 돌지 않는 경우
 ①고압에서 모터 저항이 많이 걸리는 경우 베어링을 점검하거나 교체한다.
 ②펌프는 잘 작동되지만 압력이 올라가지 않는 경우 과수압 밸브를 점검한다.

•펌프 모터는 정상적으로 가동되지만 수압이 안 맞을 때
 → 펌프 헤드를 점검하거나 교체한다.
 → 압력 조절 밸브로 압력을 조절 한다.
   (압력 조절 밸브가 스케일로 인하여 굳은 경우 O링을 교체하고
    그리스를 발라서 재조립 한다.)

펌프 헤드

[펌프 헤드의 종류]

•펌프헤드와 모터의 연결 방식에 따른 분류
①일반형: 'ㅡ'자와 'ㄷ' 모양의 결합
②D형 결합형
③별형 결합형
④삼각점 결합형
⑤마그네틱형

펌프 헤드

🔍 결합방법은 2개 또는 3개의 볼트를 사용하는 방법과 클립을 사용하는 방법이 있다.

• 펌프 헤드와 급수관의 접합방식에 따른 분류
①암나사 접합방식: 대부분의 머신에 사용하는 이 방식은 흐르는 물에 회전을 일으켜 물을 멀리 보내기 위하여 토출 측에 와류 스프링이 사용된다.
②수나사 접합방식(훼마, 라심발리 일부기종) : 이 방식은 와류스프링이 없는 경우도 있

[결합되는 부품]

•펌프 모터와 결합되어 사용된다.
•급수라인과 출수라인의 결합이 필요하다.

[펌프 헤드의 기능]

펌프 모터의 회전속도와 동일한 회전속도로 회전하면서 압력조절밸브에 의해 압력을 조절한다(시계방향: 압력 상승/ 반시계 방향: 압력 저하).

[다른 부품들과의 상관관계]

•펌프 모터
•콘덴서
•와류 스프링: 펌프 헤드 안의 스프링은 물을 멀리 보내기 위하여 출수된 물에 회전력을 제공한다.

[고장 증상과 수리방법]

•펌프 헤드가 녹 슬거나 스케일 등으로 인해 잘 돌지 않는 경우
→ 수리하거나 교체한다.
•베어링이 녹이 슬어서 펌프 헤드가 잘 돌지 않는 경우 → 방수 베어링으로 교체하거나
펌프 헤드를 교체한다(최근에는 수리보다는 교체하는 편이 많다).
•누수 발생 시 → 밀폐고무를 바꾸거나 펌프 헤드를 교체한다.

🔍 과거에는 베어링, 밀폐고무를 교체하거나 수리하여 사용했지만, 부품 공급이 쉽고
금액이 저렴해 지금은 수리보다는 교체를 하는 것이 더 효율적이다.

•펌프 헤드를 신품으로 교체할 때는 압력조절밸브를 반시계 방향으로 돌려 압력을
낮춘 후 조립하고 급수 시키면서 압력을 올려준다.

진동 펌프

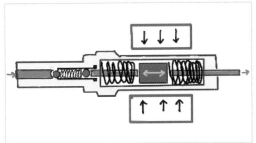 

[진동 펌프의 종류]

• 전기용량에 따른 분류: W(와트)수에 따라 용량에 차이가 있다.

[기능]

주로 가정용에서 많이 사용되고 있으며, 일부 업소용에서도 사용되고 있다. 일부 상업용 머신에서는 펌프 모터와 펌프 헤드의 역할을 담당한다. 9bar가 넘는 수압은 과압력 배출기를 통해 배출되거나 물통으로 회수된다(최근에는 20bar까지 올리는 머신도 개발되었다).

[작동 원리]

진동과 체크밸브에 의해 물을 한쪽 방향으로 밀어낸다. 출수 쪽의 압력을 변경할 수 있다(일자형 드라이버를 이용하여 오른쪽으로 돌리면 압력이 올라가고, 왼쪽으로 돌리면 압력이 내려간다).

[다른 부품들과의 상관관계]

그라인더의 분쇄도가 너무 미세한 경우 펌프의 압력이 증가되면서 작동이 정지될 수 있다(과수압 밸브는 진동이 정지되는 것을 막아준다).

[고장 증상과 수리]

• 진동이 발생되지 않거나 진동이 약할 때→교체한다.
• 압력조정이 안되거나 압력이 발생하지 않을 때
  → 분해하여 내부 체크밸브를 점검한다.
• 전기를 차단한 후 교체하거나 수리한다.

 머신에 따라 진동 펌프 한 개를 사용하기도 하고, 동시에 4개(2개X2)를 사용하기도 한다(세코 이데아).

1웨이브 밸브

1way 밸브

• 한쪽 방향으로만 물이 흐르도록 설계된 밸브로, 과수압밸브, 역류방지밸브 (체크밸브), 감압변 등이 해당된다.

🔍 1. 제빙기, 커피머신, 온수기 등에 사용되는 밸브로 물이 한쪽 방향으로만 흐르도록 설계되어서 급수와 출수 위치가 정해져 있기 때문에 2way 솔레노이드 밸브라고 하지 않고 1way 솔레노이드 밸브라고 한다.
2. 수냉식 제빙기 급수측 1개에서 출수측 2개의 방향으로만 물이 흐르도록 설계된 밸브도 3way 솔레노이드 밸브라고 하지 않고 2way 솔레노이드 밸브라고 한다 (밸브 하나에 솔레노이드 코일 2개와 유동추 2개가 내장되어 있다).
3. 최근 밸브의 작동 유무를 한눈에 볼 수 있도록 커넥터에 시그널 램프를 설치한 솔레노이드 밸브 커넥터도 출시되고 있다.

2way 솔레노이드 밸브

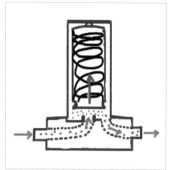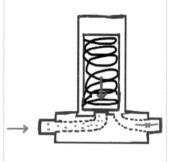

[종류]

•형태별 종류
 ①플랫형: 황동과 스틸형
 ②T자형(배관 부착형): 배관과 연결될 때 1/4인치와 1/8인치를 사용하고 유량 조절용, 냉수 급수 조절용, 냉온믹싱 일체형 등이 있다.
•전기용량별 종류(대부분은 220V를 사용하는데, 일부 제조사는 24V, 110V를 사용한다.)
 ①24V: 달라코르테, 란실리오, 라심발리 M39, M100, 산레모 레이서
 ②220V: 라마르조코, 아피아, 콘티, 웨가, 마스터, 엑스포바, 비에프씨, 산레모, 씨메
 ③110V: 커티스(Curtis), 번(BUNN), 호시자키(제빙기) 등 일부 머신들은 아직도 회로상 110V를 사용하기도 한다.
•압력에 따른 분류: 무압, 5bar, 10bar, 15bar, 20bar 등

주의사항

24V의 부품 사용시 직류와 교류를 구분하여 사용하여야 한다.

직류에서 교류부품을 사용하면 정상작동이 안되어 에러가 발생한다.

[설치되는 위치]

- 일반적으로 펌프와 보일러 사이에 설치된다.
- 온수 밸브는 보일러와 온수팁 사이에 설치되고 냉온 믹싱 밸브는 온수 밸브와 급수 배관 사이에 설치된다.
- 보일러의 과압력 밸브로 사용된다.
- 스팀을 이용한 청소용 밸브로 사용된다(M39 도사트론).

[기능]

- 일반적으로 보일러의 급수를 담당한다.
- 온수의 온도를 알맞게 조절하기 위하여 온수와 냉수를 섞어주는 기능을 한다.
- 보일러의 퇴수를 담당하는 밸브로써 스팀이나 과압력 등을 배출하는 기능을 한다.
- 라심발리(Cimbali) 일부 기종은 2way 솔레노이드 밸브가 커피 추출 후 스팀을 이용하여 배관을 청소하는 기능을 한다.

일부 머신은 물의 급수 및 배수를 조절해주기 위해 2way 솔레노이드 밸브 대신 3way 솔레노이드 밸브를 사용 할 수 있다.

[작동 원리]

전기가 통하면 전자석이 되어 유동추를 당겨 물을 통과시키고 전기에너지가 차단되면 스프링의 힘으로 물의 흐름을 차단한다.

[다른 부품들과의 상관관계]

•수위 감지봉: 보일러의 내부에 물의 양이 부족할 때 수위 감지봉이 감지하여 물을 공급하고 물을 차단한다.
•과압력 센서: 센서에 의해 과압력을 배출한다.

[고장 증상]

•보일러에 급수가 안 된다.
•보일러의 만수 및 물 넘침
•머신 작동 후 스팀 배출과 배관 청소가 안 된다(M39 커피머신).
•온수에 누수가 생기거나 온수가 나오지 않는다.
•급수 시 차단기가 내려간다.

[수리 방법]

- '탁' 하는 전자음 유무를 확인하거나 테스터기로 누전 및 단락을 체크한 뒤 코일을 교체한다.
- 유동추가 고장이 났을 때는, 유동추를 청소하거나 교체한다.
- 밸브 유동추 스케일을 제거한다.
- 루비(얇은 판) 및 밀폐고무의 파손 시 수리하거나 밸브를 교체한다.
- 커피 추출 사이클에서 스팀이 새고 정지가 되지 않거나 스팀이 나오지 않을 때, 밸브 점검 후 교체한다(M39).
- 대기수압과 보일러쪽 수압을 확인하고 적정한 수압의 밸브를 설치한다.
- 입수구와 출수구를 정확히 설치한다.
- 압력에 따른 분류: 무압, 5bar, 10bar, 15bar, 20bar 등

주의사항

T자형 2way 솔레노이드 밸브(3way 솔레노이드 밸브)인 경우 입수구와 출수구가 반대로 설치되면 보일러에서 물이 넘치거나 그룹 헤드에서 누수가 되는 경우가 있다. 고압(1번)과 저압(2번)의 방향을 정확하게 일치시킨다.

3웨이브 밸브

3way 솔레노이드 밸브

[종류]

• 형태별 종류
 ①플랫형: 플랫 황동형, 플랫 스틸형
 ②T자형(배관부착형): 커피머신에서는 주로 1/4인치와 1/8인치를 사용한다.
• 전기용량별 종류(대부분은 220V를 사용하는데, 일부 제조사는 24V를 사용한다.)
 ①24V: 달라코르테, 란실리오
 ②220V: 라마르조코, 아피아, 콘티, 웨가, 마스터, 엑스포바, BFC, 산레모, 씨메 등

[설치되는 위치]

•그룹 헤드와 유량계 사이 T자형 밸브

> 주의사항
>
> T자형 밸브의 경우는 입수구와 출수구의 방향을 주의해야 하며, 일부 커피머신은
> 역류방지밸브 없이 그룹 헤드에 연결된 경우 역방향으로 설치해야 될 필요성이 있
> 다(까리말리, 라마르조코 일부 기종).

•그룹 헤드에 부착된 경우
 ①그룹 헤드 상부: 산레모(단점: 추출 후 잔여물 배출이 원활하지 못할 수 있다.)
 ②그룹 헤드 하부: 그룹 헤드가 E61 계열인 경우(단점: 그룹 헤드 하부 설치 시 3way 솔레
  노이드 밸브 및 배수구를 감싸기 위해 커피머신 앞부분의 공간을 많이 차지함)
 ③그룹 헤드 중간부(측면부): 달라코르테, 훼마 E98, 베제라

④그룹 헤드 상부 옆면: 상부에 엘보우 아답터를 설치하여 아답터 측면으로 잔여물
　을 배출함(라마르조코 GB5)
•3way 솔레노이드 밸브가 없는 머신: 레버식 머신(E61 레전드, 마이웨이, 시모넬리 레버식)

[기능]

•커피를 추출하는 기능과 커피 추출 후 잔여 압력을 배출하는 기능
•2way 솔레노이드 밸브와 같은 용도로 사용할 수도 있다.

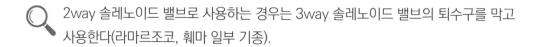 2way 솔레노이드 밸브로 사용하는 경우는 3way 솔레노이드 밸브의 퇴수구를 막고
사용한다(라마르조코, 훼마 일부 기종).

[작동 원리]

•전기가 통하면 전자석이 되어 유동추를 당겨 물을 통과시키고 전기에너지가 차단
되면 스프링의 힘으로 물의 흐름을 차단한다.
•작동 후 남아 있는 압력이 배출되도록 한다.

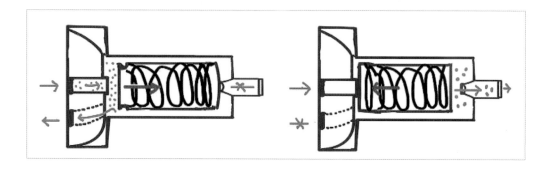

[다른 부품들과의 상관관계]

- 유량계의 입력 값에 따라 메인보드의 지시 하에 작동된다.
- 수동버튼 조작에 의해 작동된다.
- 과압력 센서에 의해 과압력을 배출한다.
- 보일러의 물의 양이 부족할 때 수위 감지봉에 의하여 물을 공급하고 물을 차단한다.

 세 번째와 네 번째는 3way 솔레노이드 밸브의 퇴수구를 막아 2way 솔레노이드 밸브로 사용할 수 있다.

[고장 증상]

- 그룹 헤드에서 물이 누수된다.

 E61 머신: 3way 솔레노이드 밸브의 불량이거나 3way 솔레노이드 밸브 중앙 위 그룹 헤드 쪽 오링 불량

- 퇴수구로 물이 계속 누수된다.
- 커피가 잘 추출되지 않는다.
- 커피 추출 시 차단기가 내려간다.

[수리 방법]

- '탁' 하는 전자음 유무를 확인하거나 테스터기로 누전이나 통전을 체크하고 필요시 코일을 교체한다.
- 유동추가 고장 났을 때, 유동추를 청소하거나 교체한다.
- 3way 솔레노이드 밸브 스케일을 제거한다.
- 루비(얇은 판) 및 밀폐 고무의 파손 시 수리하거나 밸브를 교체한다.
- 입수 수압과 그룹 헤드 수압을 확인하고 적정한 수압의 3way 솔레노이드 밸브를 설치한다.

• 코일 불량으로 차단기가 작동된 경우는 코일을 교체해야 하며, 이때 코일 볼트 (12V, 24V, 220V)의 확인이 매우 중요하다. 특히 24V의 경우 AC와 DC의 구분을 하여야 한다.

유량계

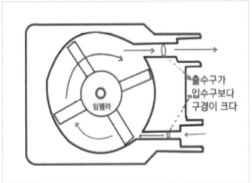 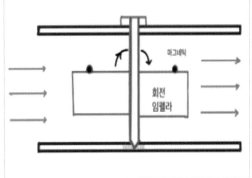

[종류]

• 외부 부착형
 ① 일반형: +, -, 0을 잘 맞추어 커넥터나 잭을 연결한다.
 ② 선 연결형: 훼마, 란실리오 일부 기종 등
 ③ 본체에 4핀 잭을 꽂는 방식: 훼마 E98
 ④ 회전 임펠러 영구 자석 갯수에 따른 분류: 2개(일반형), 1개

 회전 임펠러에 영구 자석이 1개가 있는 유량계는 영구 자석 2개가 있는 방식으로
교체 시 물량이 달라진다(일렉트라 맥시).

• 배관 내부형: 배관 내부에 흐르는 물량을 체크하여 배관에서 외부로 신호를 주는
 방식으로 배관 내부에 부착되어 있고, 일부 온수기 등에 사용되고 있다.
• 전자저울식 유량계: 추출되는 커피의 무게를 감지하여 제어하는 방식이다.

🔍 전자저울식 유량계: 추출되는 커피의 무게를 감지하여 제어하는 방식이다.

•이외에도 디지털 터빈식, 액체 터빈식, 용적식, 열질량식, 전자식, 초음파식, 유류출하식 등 다양한 종류가 있으나 이 책에서는 자세히 언급하지 않겠다.

〈외부 부착형 유량계의 종류〉

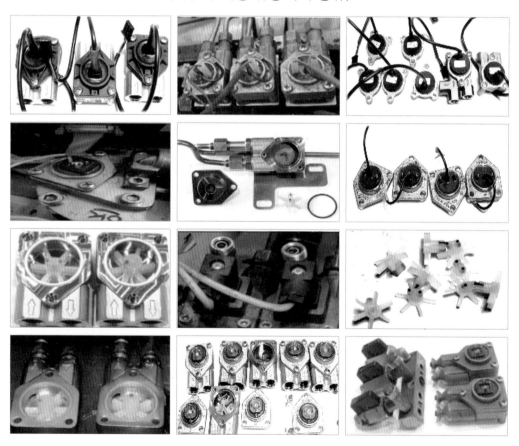

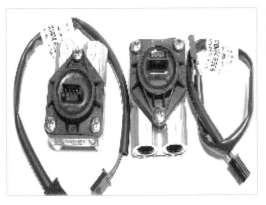

[설치되는 위치]

주로 그룹 헤드 이전 냉수배관에 설치되는 것이 일반적이며 그룹 헤드 윗면에 설치되는 경우도 있고 그룹 헤드 온수 쪽 급수배관에 설치되는 경우도 있다.

🔍 그룹 헤드 온수 쪽 급수배관에 설치되는 경우는 스케일로 인한 고장률이 높아서 주로 냉수 쪽 배관에 설치되고 있다.

[기능과 작동원리]

커피 추출량을 제어하기 위해 회전 임펠러 상부에 부착된 1개 또는 2개의 영구자석의 신호에 의해 통과하는 물량을 디지털 신호로 바꾸어 전송한다.

[다른 부품들과의 상관관계]

• 과수압 밸브: 누수가 있는 경우 추출 물량이 적어진다.
• 메인보드 TR: 과도한 시그널의 전달 작업으로 메인보드가 다운될 수 있다.
• 메모리 기억장치: 메인보드에서는 일반적으로 삭제 될 수 있는 휘발성 메모리를 사용하지 않고 전원이 차단되더라도 저장 값을 가지고 있는 비휘발성 메모리를 사용한다.

🔍 휘발성 메모리는 주로 날짜, 요일, 기타 사용자 일부 입력사항 등에 사용

[고장 증상과 수리방법]

•세팅 후 물이 나오지 않거나 물량 세팅이 안 되는 경우
 ①유량계 상부 회전감지기 고장→교체
 ②그룹별 유량계의 위치가 바뀐 경우→커넥터 위치 조정
 ③핀 위치(+, -, 0)가 바뀐 경우→핀 위치 조정
 ④누수로 인한 회전감지기 누전→물기를 제거한 후 작동한다.
•물량이 줄어들어 적게 나오는 경우
 ①과수압 밸브 고장→과수압 밸브 압력 조정
 ②역류방지 밸브 고장→장시간 대기 상태에서 커피를 추출할 때 첫 잔은 뜨거운 물을
  흘려보낸 후 커피를 추출하거나 역류방지 밸브를 교체한다.
•물량이 늘어나는 경우
 스케일 등에 의한 회전력 감소→스케일을 제거하거나 교체한다.
•커피머신 작동 2~3시간 후 메인보드가 다운되는 현상→과수압 밸브 고장이나 유량
 계의 누전이므로 과수압 밸브를 교체하거나 유량계 상부 코일을 교체한다.
•유량계 과열로 인한 유량계 회전자의 고장 및 변형
 →과열 원인을 찾아 수리한 뒤 유량계를 교체한다.

 열교환기와 유량계 사이의 역류방지밸브 고장, 히팅코일의 과열, 과수압 밸브 고장
으로 보일러에서 발생하는 열과 압력이 유량계 내부의 임펠러에 역류하여 임펠러가
녹는 현상→역류방지밸브, 과수압 밸브, 압력 스위치 등을 점검 수리하고 임펠러를
교체한다.

유량계의 스케일 생성은 유량계 인입구의 높은 압력의 물이 토출구 쪽으로 향할 때 순간적으로 압력이 낮아진 부분에서 스케일이 형성된다. 항상 스케일은 압력의 변화가 순간적으로 0bar에 가까워질 때 생기게 된다. 예를 들면 배관의 노출부분이나 지클러를 통과한 후 냉수가 입수될 때 또는 뜨거운 스팀이 물과 만나는 지점에서 순간적으로 압력이 낮아지면서 스케일이 생성된다.

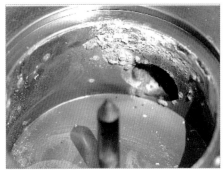

보일러

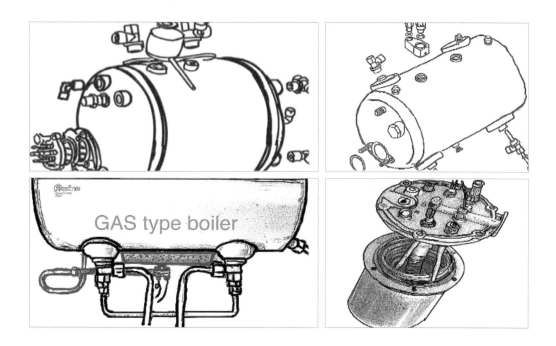

GAS type boiler

[종류]

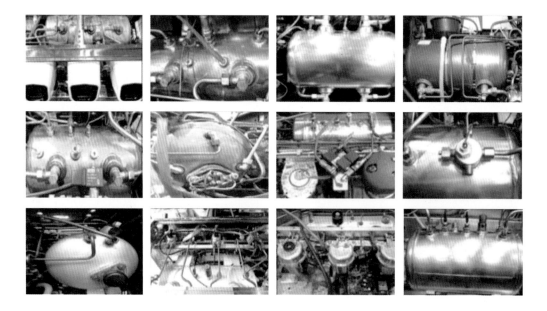

•재질별 종류

①동판 보일러

ㄱ0.7~1.5T를 주로 사용하는데, 단가를 줄이기 위해 일반적으로 0.7T를 많이 사용하지만, 1.5T를 사용하는 머신도 있다.

ㄴ제작이 용이하고, 대부분의 커피머신 보일러에 동판이 사용된다.

ㄷ열전도율이 다른 재질에 비해 높다.

ㄹ두꺼운 판을 사용하여 제작할수록 포화열이 높아 온도가 더 안정적이고 커피 추출의 온도변화가 작아진다. 물론 두꺼울수록 제작비용은 더 소요된다.

> 보일러 외부에 보온재 등을 입혀 사용하는 경우가 늘고 있지만 보일러의 누수 등 고장이 발생할 때 육안으로 식별이 어려워 장시간 방치되어 많은 비용이 소요 될 수 있다.

②동판 외부에 니켈 크롬 등을 도금한 보일러: 깨끗한 외장과 외부 오염, 변색 방지, 산화를 방지하기 위해 표면에 도금을 해서 제작한다(달라코르테, 라스파지알레 등).

주의사항

•오버홀 작업 시 외부에 산성 스케일 제거제를 사용한 후 적절한 중화제 처리를 한다. 그 이유는 산이 침투성과 지속성이 강하여 산의 화학반응으로 변색 및 부식이 진행 되기 때문이다.

•크롬도금이 되어 있을 경우 강산성의 스케일 제거제를 사용하면 보일러가 변색되고 지저분해진다.

---

③스테인리스판 보일러: 일부 하이앤드 급 머신에서 상당히 두꺼운 스테리인스판을 사용하고 있으며 열전도율은 동(銅)보다는 낮은 편이나 오염에 강하다. 그러나 보일러가 파손된 경우 용접이 쉽지 않고 초기 가공비가 비싸다(라마르조코 등).

•용량별 종류
①일반적으로 일체형 보일러의 1그룹 머신은 4~7L, 2그룹 기준 머신은 10.5~14L, 3그룹의 머신은 21L를 보통 사용하고 있다.
②커피 추출용 보일러는 그룹 헤드 일체형인 경우 일반적으로 0.3~0.8L를 사용하고, 듀얼 보일러인 경우는 스팀보일러에 용량 5~10L를 주로 사용한다.

•형태별 종류
①일체형: 한 개의 보일러를 가열하여 스팀, 온수를 추출하고, 열교환기를 통하여 커피를 추출하는 방식이다.
②듀얼형: 스팀, 온수를 위한 보일러 1개와 커피 추출을 위한 보일러 1개~3개로 이루어진다.
　　㉠1차 열교환기가 있는 경우: 라마르조코, 세코, 가찌아 등
　　㉡1차 열교환기가 없는 경우: 씨메, 아피아 2D 등
③독립형: 그룹 헤드마다 커피 추출 보일러가 따로 있는 경우
　　㉠히터 내장형: 커피 추출 보일러 내부에 히터가 내장된 경우(달라코르테 등)
　　㉡히터 외장형: 커피 추출 보일러 외부에 히터가 설치된 경우(콘티 트윈스타 등)
④그룹 헤드 히터 외장형: 커피 추출 보일러가 아닌 그룹 헤드를 직접 가열(가찌아, 세코, 일렉트라 K-UP)

[설치되는 위치]

대부분 머신 내부의 정중앙에 위치하며, 수평으로 뉘어진 형태와 수직으로 세워진 형태가 있다. 기능에 따라 외부 그룹 헤드 쪽에 설치되는 경우도 있다.

[기능]

•각종 센서 및 배관 등을 연결하여 커피 추출을 위한 열 교환 및 스팀을 생성할 수 있도록 밀폐시킨다.
•보일러 내부에 들어 있는 열교환기의 물은 보일러의 온수로 열 교환되며 그룹 헤드를 통과하여 커피를 추출하는 데 사용된다.
•보일러 용량의 약 60%~70%를 채우고 있는 물은 내부 압력이 1~1.3bar, 온도는 118~125℃의 상태에서 주로 사용된다.

- 보일러의 크기가 클수록 안정적인 온도를 유지할 수 있으나, 물을 가열하는 데 더 많은 에너지와 시간이 소요된다. 그러나 보일러가 작다고 해서 전기가 반드시 적게 들어가는 것은 아니다.
- 보일러가 두꺼울수록 포화열이 많아 연속 추출 시 추출온도 변화가 적다.
- 보일러의 외부에 단열재를 감싸주면 포화열을 높일 수 있다.

[보일러의 온도 및 압력 제어]

- 보일러는 LPG, 부탄가스, 전기 히팅코일 등을 이용하여 내부의 물을 가열하여 일정한 온도와 압력을 유지하기 위하여 제작된다.
- 보일러에서 사용되는 스팀 온도는 보통 118~125℃이며, 압력은 1~1.3bar이다. 그러나 밖으로 배출되는 커피 추출수 온도는 100℃ 이하로 낮아진다.
- 압력스위치: 보일러 내부 압력을 감지하여 전원공급, 가스공급 등을 제어한다.
- 마그네틱 스위치: 보일러의 압력스위치와 연동되어 작동되거나, 메인보드에 의해 제어된다.
- 릴레이: 주로 소형 머신에서 사용되며, 메인보드에 의해 릴레이 등을 통하여 작동되는 경우가 많다.
- PID: 히팅이 될 때 온도의 편차를 줄이기 위해 사용되는 방식으로 P(비례), I(적분), D(미분)가 온도 감지기, 메인보드와 함께 연동되어 온도가 낮을 때 최대 출력으로 전원을 공급하고 설정된 온도에 근접하면 낮은 출력으로 부드럽게 온도를 제어한다.
- 물을 가열하는 방식은 자연대류가 되도록 보일러 내부의 아래쪽에 위치한다.
- 가스식 히팅 방식의 경우 보일러의 외부 아래쪽에 위치한다.

1. 가스식 히팅 방식도 압력조정 방식이 전기식과 동일하다.
2. 보일러의 내부 온도가 약 135℃ 이상이 되면 과열방지기가 작동되고 히팅이 멈춘다. 가스식의 경우는 자동으로 LPG, 부탄가스 공급이 중단된다.

〈가스식 커피 머신의 구조와 부품〉

[고장 증상과 수리]

• 스케일로 인해 보일러에 부착된 각 배관의 막힘
→ 스케일을 제거하거나 막힌 곳을 관통시킨다(오버홀, 보링).

• 보일러의 누수
부품이 부착된 곳, 용접된 부분에서 누수가 발생할 때 용접하거나 테프론 테이프를
감아서 수리한다.

> 주의사항
> 보일러는 열전도가 빠르므로, 고온 용접을 해야 할 경우 용접 부위를 제외한 나머지
> 부분에는 열전도 방지 처리를 하고 용접한다.

• 보일러 내부 스케일과 히팅코일 스케일이 있는 경우 히팅코일에 대한 열전도율이 낮아져
히팅이 느려지고 온도편차가 심해진다(소음 및 히팅코일의 균열이 발생 할 수 있다).

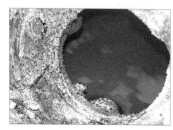 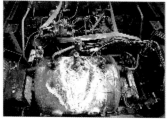 

- 보일러에 부품을 탈·부착할 때, 보일러가 얇아 잘 휘어지므로 중심을 잘 유지하여 탈·부착한다.
- 스테인리스 보일러의 용접은 아크 용접보다 레이저 용접을 권장하고, 동(銅)보일러는 산소 용접과 저온 용접을 할 수 있다.

※용접 형태에 따른 구분과 수리방법

다른 부품들을 삽입 부착할 수 있도록 큰 동판이나 스테인리스판을 재단하여 절단한 후 둥글게 접어서 원통형으로 용접하여 보일러를 만든다. 완성된 보일러를 머신 본체에 장착한 후 연결부품 등을 부착한다. 보일러의 용접 방식은 저온 용접, 고온 용접, 레이저 용접, TIG 용접 등으로 나눌 수 있다.

- 보일러의 고장은 누수가 되거나 스팀이 누증될 경우 다시 용접을 하는 경우가 많다.
  ①저온 용접이 되어 있는 보일러나 배관은 균열이 발생한 부분을 용접할 경우 열이 다른 부품이나 용접 부위에 가지 않도록 특히 주의하여 용접한다.

②고온 용접(산소 용접, 은납봉 용접)을 이용하여 보일러 및 배관을 용접한다.

③황동 부품과 보일러를 용접할 때 서로 용융점이 다르므로 고온 용접 시 세심한 주의가 필요하다.

④레이저 용접, TIG 용접: CO_2 아르곤 가스, 레이저 등을 이용하여 용접을 하므로 깔끔한 용접을 할 수 있다.

• 보일러 내부의 열교환기 동파 시 열교환기가 노출되도록 절단한 후 열교환기를 용접하고 보일러 케이스를 용접하여 복구 할 수 있다.

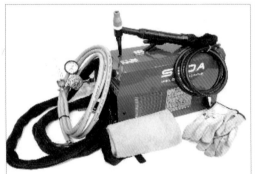
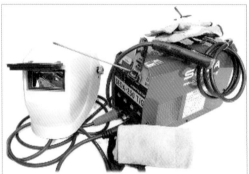

열교환기

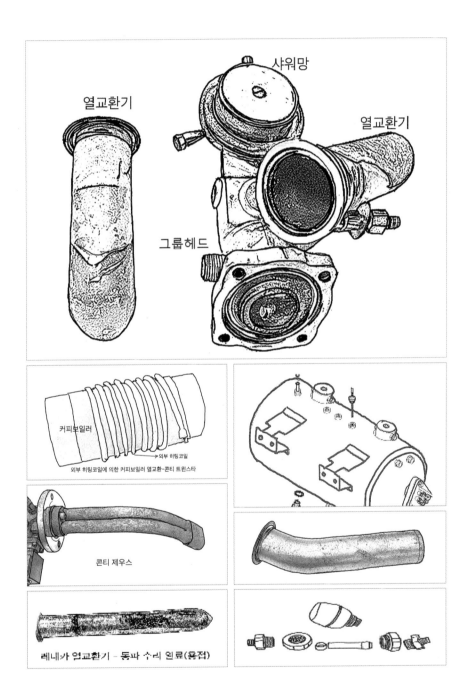

샤워망

열교환기

열교환기

그룹헤드

커피보일러

→외부 히팅코일

외부 히팅코일에 의한 커피보일러 열교환-콘티 트윈스타

콘티 제우스

레네카 열교환기 - 동파 수리 완료(용접)

[종류]

- •관통형: 약 45도의 각도로 보일러의 상부와 하부를 관통하여 자연대류방식으로 열을 교환한다(일반적으로 E61 그룹 헤드 적용 머신).
- •밀폐형: 그룹 헤드가 보일러와 밀착되어 직접 열을 전달받는 방식으로 그룹 헤드에서 보일러 쪽으로 열교환기가 삽입된다(레네카, 콘티, M39 일부 등).
- •배관형: 1차 가열 방식에 많이 사용된다(라마르조코).
- •동판 전도형: 까리마리
- •스팀 열교환형: 라스파지알레
- •개방형: 마이웨이(보일러 내부에 컵을 뒤집어엎은 모양으로 설치됨)

 1. 그룹 헤드 과열방지 열교환기: 커피를 추출할 때 과열되는 현상을 방지한다.
2. 중탕에 의해 열 교환이 이루어지는 간접 가열 방식과 스팀이나 히팅코일에 의해 직접 가열되는 방식이 있다.
3. 열교환기와 급수 분사관이 없는 머신: 마이웨이, 아테나 레바 2

[설치되는 위치]

- 보일러 내부
  추출온도 변화: 관통형의 경우는 급수 분사관이 길어질수록 추출 시 온도가 더 낮아지고, 밀폐형의 경우는 급수 분사관이 길어질수록 추출 시 온도가 더 높아진다.
- 배관형은 배관이 보일러 내부를 통과하면서 가열되는 방식이다.
- 주로 단일형 보일러에 사용되는 관통형은 스팀과 온수 사이에 위치하여 하부에서 급수하고 상부로 출수가 된다(웨가, 이베리탈, BFC, 란실리오, 산레모 등).
- 관통형의 예외(콘티 몬테카를로): 유량계를 통과한 물이 상부 스팀 부분을 지나 하부로 물이 공급되며, 하부를 통과한 물이 2차로 커피 보일러로 히팅된 후 3차 그룹 헤드 히팅에 의해 온도가 조절되는 방식이다(추출수의 급격한 온도 변화를 줄여 커피를 안정감 있게 추출하기 위해 설계되었지만 A/S 발생률이 높다).
- 열교환기가 온수 속에 잠겨 있는 경우는 그룹 헤드에서 2차 가열이 필요한 경우가 많다(라마르조코, 가찌아, 세코 등).

[기능]

- 보일러의 온수나 스팀을 이용한 열 교환 방식으로 그룹 헤드에 커피 추출 온수를 공급한다.
- 스팀 온수 보일러의 히팅코일을 이용하여 직접 가열하는 개방형도 있다(폼페이 마이웨이).

[고장 증상과 수리]

- 보일러에 물이 계속 차오르는 경우 - 열교환기가 동파되거나 균열이 간 경우
  ① 열교환기를 교체한다. - 분리형 열 교환기는 교체하기 쉽다(라심바리, M39, M29, 레네카, 콘티, 라스파지알레 등).
  ② 열교환기와 일체형 보일러인 경우 - 보일러를 교체하거나 절단 수리 후 용접한다.
  ③ 열교환기는 물속에 잠긴 부분은 동파가 안 되고 노출된 부분이 동파되며, 컵 모양의 개방형인 경우 동파가 되지 않는다.

•보일러 접합부에서 누수가 되는 경우
 ①일체형 -용접한다(산소를 이용하여 동 용접하거나 레이저 용접, 티그 용접한다).
 ②분리형 -오링 및 개스킷을 교체한다.

[동파된 사례]

그룹 헤드

E61 그룹헤드

오링 2개

달라코르테

그룹헤드·온도조정기

그룹헤드 내부 물흐름도

CONTI

[종류]

• 열 교환 형태
 ①자연대류 방식
 ②그룹 헤드 히팅 방식(독립 보일러)

③보일러 본체 부착 방식

•히팅코일이 있는 방식과 히팅코일이 없는 방식

•그룹 헤드에 온수를 담고 있는 방식(300~800ml)과 그룹 헤드에 물이 없는 방식

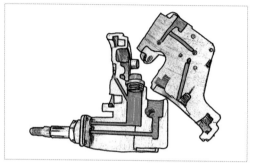 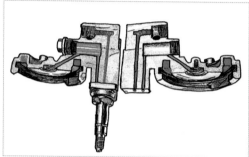

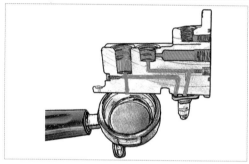 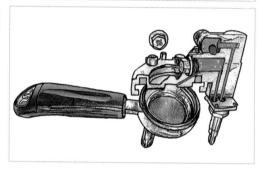

 그룹 헤드 히팅 방식이지만 그룹 헤드에 물을 가지고 있지 않으며 1차 열 교환된 물을 순간적으로 가열하여 추출하는 방식도 있다(가찌아, 세코).

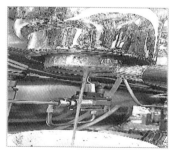  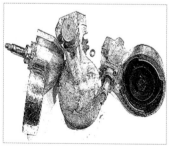

[설치되는 위치]

•반자동 수동 커피머신 -커피머신의 전면부
•자동 커피머신 -커피머신의 내부 측면 상부

[기능]

•보일러에서 가열된 물이 원두커피 가루와 만나서 완벽한 에스프레소를 추출할 수
있도록 도와준다. 이때 관련부품의 역할이 매우 중요하다. 또한 그룹 헤드의 용량
및 헤드 무게 중량도 커피 추출 품질에 많은 영향을 미친다.
•고품질의 커피를 추출하기 위해 추출수의 온도를 일정하게 유지하도록 각 회사별로
노력하고 있다. 이를 위해 그룹 헤드 히팅 방식, 자연대류 방식, 열전도 방식, 커피
보일러 히팅 방식 등이 독립적 또는 복합적인 방식으로 사용되고 있다.

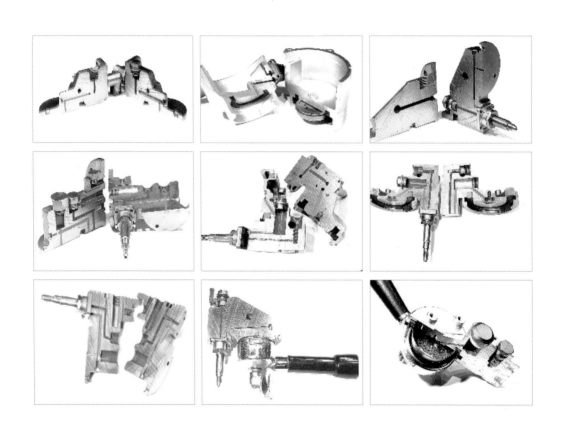

[관련 부품]

- 슬리브, 여과망, 지클러, 스프링, 오링
- 석면 개스킷: 열을 차단하고 볼트와 너트 사이를 압착 또는 밀폐시킨다.
- 캠 및 레버: E61 그룹 헤드에서 수동으로 추출할 때 사용한다.
- 3way 솔레노이드 밸브: 급수 및 퇴수를 담당한다.
- 디퓨저 및 스프레이 노즐: 물을 골고루 원두에 분사해준다.
- 개스킷 샤워망: 포터필터 밀폐 및 물을 부드럽게 분사시켜 준다.
- 드레인: 커피 추출 후 잔여물과 압력을 배출해준다.
- 수동 레버(마이웨이, 아르두이노 등): 그룹 헤드 자체가 1way 밸브의 역할을 담당하므로 백프러싱을 할 수 없다.

•포터필터: 바스켓 지름 52~58mm를 주로 사용하며 커피를 담아 추출할 때 사용된다.
•챔버: 커피 추출 시 스팀의 생성을 억제하기 위하여 그룹 헤드 내부공간에 삽입되는 원통형의 내열 플라스틱

[고장 증상과 수리]

•물이 잘 안 나올 때→스케일 제거
 ①지클러 막힘
 ②여과망 막힘
 ③배관의 관로가 스케일 등으로 좁아짐
 ④유동추의 장력저항과 솔레노이드 코일의 기능 저하
•물이 누수가 될 때→3way 솔레노이드 밸브 점검
 수동머신인 경우 밀폐 오링 점검(마이웨이 등)
•물의 양이 너무 많아질 때→지클러 파손, 유량계의 스케일로 회전력 감소
•커피 추출수에 스팀이 많이 섞여 나올 때
 →그룹 헤드 온도가 높은 경우이므로 배관 내부의 온도 지클러 구경을 작은 것으로 교체하고 챔버를 삽입한다(아우렐리아).

지클러

지클러: 그룹 헤드 노즐, 인젝션 노즐, 제트(jet), 지클러라고 부른다.

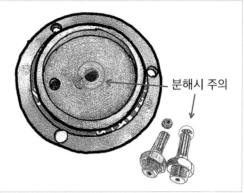

분해시 주의

[종류]

커피 머신에는 다양한 종류의 지클러들이 사용되고 있다.
- 배관 내부 고정식 지클러
- 가변 온도변환 지클러(에스프레샤)-각기 구멍이 다른 네 방향 볼밸브의 회전에 의해 그룹 헤드 및 커피 추출 온도를 다르게 세팅할 수 있다.

5~6 적정값

E61 그룹헤드 온도조정기

  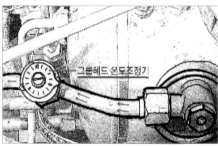

그룹헤드 온도조절 가변형 지클러

그룹헤드 가변형 지클러

[설치되는 위치]

• 그룹 헤드 내부(씨메, E61 등 대부분의 머신) 또는 배관(콘티 계열, 레네카 일부 머신)
• 유량계 전후
※ 일반적으로 유량계는 인입구가 적어서 지클러 역할을 한다(아피아 머신은 유량 계 통과 후 거름망과 지클러가 설치되어 있다).
• 2way 솔레노이드 밸브 저압 측(2번)(세코, 가찌아 등)

- 열교환기와 그룹 헤드 연결관(BFC, 로켓 등 대부분의 일체형 보일러 머신들)
- 냉온 믹싱 밸브는 유량을 조절할 수 있는 볼밸브 등을 설치하여 냉수 유입량을 조절할 수 있다(지클러 역할).
- 고압 측 수압게이지(게이지에 전달되는 유량을 제어하여 게이지의 떨림을 방지한다).
- 스팀 게이지에는 지클러가 장착되지 않는다(스팀 게이지는 저압임).
- 가변 온도 변환 지클러는 그룹 헤드와 배관 사이에 설치하여 지클러 구경을 변환하여 그룹 헤드의 온도를 제어하는 방식이다.

[기능]

지클러는 머신 내부 배관의 고압 측에 설치하여 유속 및 유량을 제어한다.
- 압력 조절: 포터필터에 정상적인 급수를 하기 위한 장치로서 통상적으로는 8~10bar가 나올 수 있도록 해준다.
※ E61 그룹 헤드 안에 설치되는 지클러의 내부 지름의 크기는 대체로 0.6~0.9mm를 사용하는데, 지름이 작을수록 압력이 올라가고 지름이 클수록 유량이 많아진다.

- 유량 및 유속 조절
 ①유량계를 통과한 물의 부드러운 공급
 ②2way 솔레노이드 밸브를 통과한 물의 보일러 급수
 ③그룹 헤드의 히팅 및 적정 추출 온도를 위해

[고장 증상과 수리]

- 지클러의 파손 → 그룹 헤드 안쪽에 남아 있는 지클러를 제거한 후 새로운 지클러로 교체한다(일부 머신에서 조립 불량이 많이 발생하여 교체되는 사례가 많았다).
- 지클러의 막힘 → 날카로운 송곳 등을 이용하여 막힌 지클러를 뚫어 주고 약품을 이용하여 스케일을 제거한다.
- 그룹 헤드의 온도가 낮은 경우 → 그룹 헤드로 공급되는 온수 라인 쪽 지클러를 확인하고 스케일을 제거하거나 지클러의 구경을 넓혀준다.
- 그룹 헤드가 과열될 때
 ①그룹 헤드로 공급되는 온수 라인 쪽의 지클러 유무를 확인하고 지클러를 다시 장착한다.

= ②아우렐리아 커피 머신에서 그룹 헤드 과열현상이 발생할 때

→지클러의 구경이 작은 것으로 교체하고 챔버를 삽입해준다.

• 급수될 때 소음이 심한 경우→급수 2way 솔레노이드 밸브 측 지클러가 막히거나 유실된 경우이므로 지클러의 스케일을 제거하거나 지클러가 유실된 경우 중간 밸브로 물의 유입량을 조절하여 소음을 줄일 수 있다(가찌아, 시모넬리 아피아 등).

• 추출 중 게이지가 심하게 떨리는 경우→게이지 수압 쪽 지클러가 파손된 경우이므로 게이지 쪽 지클러를 점검하여 배관에 통과되는 물의 양을 줄여준다.

• 모든 부품에 이상이 없는데도 보일러에 물 공급(급수)이 잘 안 되는 경우(보일러로 접속된 부품의 관경이 작은 것을 사용하여 지클러를 대신하는데 이 부분이 자주 막히는 경우)→보일러 쪽 배관의 스케일을 제거하고 관경을 넓혀준다.

보일러의 스팀 쪽으로 급수되는 경우 더 자주 막히는 경우가 많은데, 이때는 배관뿐만 아니라 보일러 입구의 스케일도 제거해야 한다.

• 밸브가 지클러를 대신하는 경우→E61 쥬빌레는 다이얼 방식의 유량조절 밸브로 그룹 헤드의 온도를 제어하는 지클러를 대신한다.

샤워망(샤워 스크린)

샤워망(샤워 스크린)

[종류]

〈규격별 샤워 스크린〉

가찌아 세코 49mm

가찌아 세코 49mm(단면형)

산레모 베제라 라심발리 51.5mm

달라코르테 47.5mm

라마르조코 57.5mm

라스파지알레 49,52mm

라파보니 52mm

마이웨이 56.5mm

마지스타 56.5mm

마크피 54.5mm

브라질리아 61mm

블라인더 필터

산마르코 48mm

세코 55mm

시모넬리 56.5mm

일렉트라 브라질리아 51.5mm

유닉 57.5mm

콘티 58.5mm

〈머신별 고정 볼트〉

가찌아

까리마리 M5 1.6

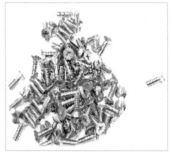
달라코르테

라마르조코 시네소

라스파지알레

란실리오

베제라 VBM 그리맥

베아소카소 퓨처멧

브라질리아 퓨처멧 아스토리아
베제라 그리맥 비양키

시모넬리

라심발리

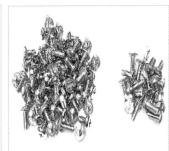
콘티

• 형태별 종류

일반형과 미세필터(IMS 필터)가 있으며 청소할 때 철수세미 등을 사용하여 스크래치나 균열이 생기지 않도록 주의해야 한다.

① 플랫형: 볼트를 사용하여 부착하는 방식

② 컵형: 볼트 없이 사용하는 방식

③ 샤워 스크린을 두 개 사용하는 형태: 라스파지알레

※ 고정할 때 큰 샤워 스크린은 위에, 작은 샤워 스크린은 아래쪽에 위치하도록 한다.

• 크기별 종류

① 플랫형의 외경 크기: 47.5mm~55mm

　예) 47.5mm-달라코르테, 55mm-가찌아 세코

② 컵형의 외경 크기: 52mm~61mm

　예) 52mm-라파보니, 61mm-브라질리아

[설치되는 위치]

그룹 헤드와 포터필터 바스켓에 들어 있는 커피 접촉면에 설치된다.

[기능]

분사된 커피 추출수를 골고루 부드럽게 커피에 투입시킨다.

[고장 증상과 수리]

- 물이 부드럽게 나오지 않는 경우 → 필터 막힘-교체
- 샤워망이 찢어지거나 헤드와 밀착이 안 되는 경우 → 규격에 맞는 것으로 교체

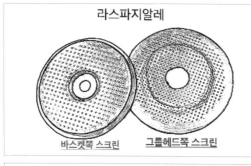

라스파지알레

바스켓쪽 스크린   그룹헤드쪽 스크린

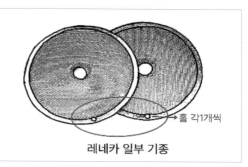

홈 각1개씩

레네카 일부 기종

찌그러짐   균열

포터필터 바스켓

청소불량-막힘

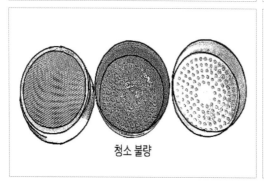

청소 불량

커피찌꺼기 막힘

홈 방향 일치 여부-찌꺼기 많이 형성됨

※샤워 스크린과 디퓨저는 규격에 맞는 볼트를 사용해야 한다. 볼트 홈이 마모되어 그룹 헤드에 샤워망이 부착되지 않는 경우 그룹 헤드를 교체하지 않고 볼트를 좀 더 긴 규격으로 바꾸거나 탭을 내어 새로운 볼트로 바꾸어 사용하면 된다.

라스파지알레(1)

라스파지알레(2)

시모넬리 특대

아피아 나사산 마모에 따른 크기

개스킷 샤워망

개스킷

〈개스킷 규격표〉

(단위 : mm)

브랜드	두께	외경	내경	형태	적용 모델
BFC	8.5	73	57	평면	로얄 씽크로, 클래시카, 에바, 에비에이터, 몬자
BFC	8	72	57	평면	리라
GA 아르파	8	72	57	평면	아르파, 산레모, 웨가 호환
VFA(9-8.5)					
가찌아(9)	8.5	72	56	평면	베이비, 뉴베이비, 클래식, 데코, E90
그리맥	8				그리맥, 산레모(8/8.5/9)
까리마리	7.5	70	57.5	평면	
라나/지노/루시아	8.5			평면	라나컵 방식(신형)
라산마르코	5.5	64	52	평면	모던, 클래식, 카파, 식스티스
라스파지알레	6.7	65	52	평면	프로페셔널, s1, s2, s40, s5, 스파지오
라심발리	9	71	56	콘	m15, 20, 24, 25, 29-32, 39, 39 GT
라심발리	8.5	70	56	평면	m15, 20, 25, 29, 30, 31, 32
라파보니	8	72	57	평면	라파보니 8-8.5
라파보니	8	74	57		(8-8.5)
란실리오(8.5)	8	74	57	평면	BFC, z9, z11, 클라세 6, 8, 10, 에포카, s10, s20
레네카	9	74	56	평면	비바, 컨셉트, LC, XL
루시아	9				C
리미니컵방식	8				
마다카프	9				
마지스타	8				8-8.5
마크피	8.5				
베제라	9.3	72	55.5	콘	나사식 8, 구형 8.5
브라질리아	8	70	57	평면	로마, 센츄리, 폴타피노, 퍼스트 세리어스
브라질리아	8.5	70	56	평면	
브라질리아	8	72.5	57	평면	센츄리, 포토피노, 그라디스카, 메이저
브르그네티	8.5	72	56	평면	(8.5-9 OK), 오로라
비비엠	8.5	73	57	평면	

브랜드	두께	외경	내경	형태	적용 모델
빅토리아	8.2	71	56	콘	아루두이노
빅토리아	9	71	56	콘	아루두이노
사브	8.5	73	57	평면	이탈리아
세코	8.5	73	57	평면	아로마
세코	8.5	72	56	평면	아로마, 스틸 se200
소피아	8.5				
시모넬리	9	71	56	콘	아우렐리아
시모넬리	7	72	58		시모넬리 대부분 기종
아스토리아	8.5	72	56	평면	CMA
아스토리아	8	72.5	57	평면	CMA
에스프레샤	8.5				8.5-9
엑스포바	8	72	57		캡형식
웨가	8	72	57	평면	
웨가	8.5	72	56	평면	56컨셉, 베네르
유니크	10				
이베리탈					
이즈코엔	8	73	56		
일렉트라					
콘티	8.5	73	57	평면	제우스
클럽	8.5				
퍼터맷(리미니)	9	74	56	평면	아리에떼
프로맥	8	72	55.5	평면	그린, 콤팩트, 클럽
피오렌자또	8.5	73	57	평면	8-8.5
훼마(8-8.5)	8	73	6.7	평면	콤펙트, E61, 64, 66, p4, p6

개스킷 교체작업 시 위 표를 참고하여 기록하며 참고하면 좋다. 포터필터 가이드 마모도에 따라 개스킷 높이는 약 0.5~1mm의 편차가 있을 수 있다.

[종류]

마이웨이 e링 립실 테프론

레네카 마키아벨리 59×45×6.5mm

비비엠 BFC 립실 테프론

가찌아 콘티(외홈)
72×56×9mm

공용(외홈)

공용 실리콘
73×57×8.5mm

공용 실리콘
73×57×8mm

공용 실리콘
73×57×9mm

까리마리
69×57×7.5mm

달라코르테
68×53.5×7mm

라마르조코
72×55×9mm

라마르조코 슬레이어
72×55×6.1(8)mm

라스파지알레
64×52×5.3mm

라파보니
60×50×5.5mm

란실리오 프로맥 베제라
72×57×8mm

란실리오(외홈)
74×57.5×8.5mm

란실리오(외홈) 실리콘
74×57.5×8.5mm

레네카
74×56×9mm

마지스타(내홈)
74×57.5×8mm

마크피(외홈)
73×59×7.5mm

베제라(원뿔외홈)
72×55.5×9.3mm

브라질리아
70×56×8.5mm

브라질리아 클럽
72.5×57×8mm

비비엠 레바
65.5×55.5×5.5mm

산레모(외홈)
73×57×8mm

산마르코
64×52.5×5.5mm

산마르코 실리콘 정품
64×52.5×5.5mm

라심발리 원뿔
71×56×9mm

아르두이노 레바
66×56×5.5mm

아르두이노 레바
70×56×6mm

아소카소
73.5×54×8.5mm

아스토리아
64×52×5.5mm

아스토리아
73×55×10.5mm

아스토리아 로켓
72×56×8mm

아우렐리아 라심발리 원뿔
9mm

아피아 원뿔
72×56×8.2mm

아피아 플랫 (외홈)
72×58×7mm

아피아 플랫(외홈)
72×58×8mm

웨가
73×57×8mm

유닉 공통
74×57×8.5mm

유닉 공통 외홈
74×57×8.5mm

유닉
74×57×9mm

• 형태별 종류

①플랫형: 고무, 바이통, 실리콘, 테프론, 복합형

②코니컬형: 고무, 실리콘

③오링형: 고무, 바이통, 실리콘(예: 일렉트라)

• 재질별 종류

①고무: 탄소 함량이 많고, 경화속도가 빠르다.

②바이통: 내오염성이 강하고, 내열성이 좋다.

③실리콘: 탄성과 내열성이 좋다. 바이통보다는 오염성에서 약하다.

④복합형: 테프론과 실리콘 오링의 조합이다.

※내열성, 내마모성이 좋아서 장기간 사용할 수 있지만 비싼 것이 단점이다.

⑤보조 개스킷: 종이 및 고무판(0.5~1mm 사이)을 개스킷의 안쪽에 설치하는데 포터필터의 장시간 사용으로 가이드 마모 시 높이를 맞추기 위해 사용된다.

⑥액체 내열 실리콘: 급속 경화용 액체 실리콘을 발라 누수가 되는 부분을 밀폐하기 위해 사용된다(초산형이 많다).

[설치되는 위치]

• 그룹 헤드 내부 디퓨저와 샤워 스크린 안쪽

※포터필터를 장착했을 때 포터필터가 정중앙에 오도록 규격에 맞는 개스킷을 사용해야 한다.

• 그룹 헤드에 부착할 때 주의사항

①샤워 스크린과 디퓨저를 제거한 뒤 설치하는 경우: 아피아, 달라코르테 등 일반적인 머신

②그룹 헤드 외부를 분해한 뒤 설치해야 하는 경우: 라심발리 M39, 레네카

③샤워 스크린의 탈부착과 관계없이 설치가 가능한 경우: 마이웨이

④컵방식: 샤워 스크린을 일자 드라이버로 제거한 뒤 컵에 맞추어 개스킷을 부착한 후 장착한다.

⑤샤워망을 제거한 후 디퓨저를 육각렌치나 십자드라이버를 사용하여 제거한 후 부착한다(가찌아, 세코 등).

[기능]

- 그룹 헤드에서 공급되는 온수의 누수를 방지하며 일정량의 정확한 에스프레소 커피를 추출하기 위해 그룹 헤드와 포터필터의 밀폐용으로 사용된다.
- 커피 추출 시 커피 가루의 넘침을 방지한다.
 ※바스켓이 파손된 경우 가루가 통과하여 에스프레소 커피에 커피 가루가 들어갈 수 있다.
- 유량계와 그룹 헤드를 통과한 물이 손실 없이 샤워망을 거쳐 스파우트로 흘러내리게 한다.

[고장 증상과 수리]

- 그룹 헤드에서 커피 추출 시 물이 누수된다.
- 커피가 불안정하게 추출된다.
 ※정확한 규격의 개스킷으로 교체하고 만일 누수가 있을 때 보조 개스킷이나 액체 내열 실리콘을 사용한다.

콘티 마키아벨리

〈개스킷 교체를 위한 공구〉

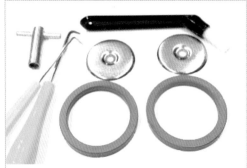

포터필터

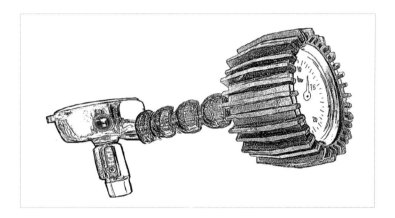

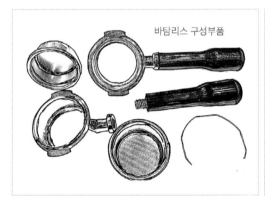

바탐리스 구성부품

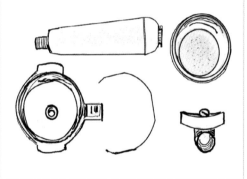

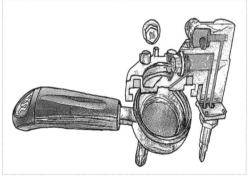

[종류]

BFC 바탐리스   E61

훼마   sm   VBM

가찌아   달라코르테   라마르조코

라마르조코   라스파지알레   란실리오 1샷

란실리오   시모넬리 바탐리스   아스토리아

아피아 2샷

오로라

일렉트라

카사디오

콘티

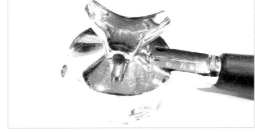
포터필터 3샷

피오렌자또

• 크기별 종류

①58mm : 거의 대부분의 일반적인 커피 머신에서 사용되며 열 교환 방식이며 온도 편차가 크지 않은 머신에서 많이 사용되고 있다.

②57mm~57.5mm : 클럽, 레네카

③53mm : 그룹 헤드를 히팅코일이 직접 가열하거나 온도편차가 심한 높은 온도에서 열 교환 이 이루어지는 경우 주로 52~53mm의 포터필터를 사용한다(달라코르테).

④52mm : 높은 온도에서 열 교환이 이루어지는 경우 사용한다(라스파지알레, SM, 세코 일부 머신).

⑤50mm 이하는 가정용으로 많이 사용된다.

•투입 방식에 따른 구분
 ①원두가루방식
 ②파드 방식
 ③캡슐 방식

•장착방법에 따른 구분
 대부분은 두 개의 가이드를 사용하는데, 3개의 걸쇠 가이드를 사용하는 방법도 있으며,
 여기에 마그네틱을 결합하여 자동으로 감지하여 장착하는 방법도 있다(유닉).

[설치되는 위치]

그룹 헤드에 장착하여 커피를 추출하는데 사용된다.

[기능]

•그룹 헤드에 장착하여 질 좋은 에스프레소 커피를 추출해준다.
•그룹 헤드 직접 가열방식에서 그룹 헤드 열 교환 속도가 빠른 머신의 경우는 커피 맛을
 좋게 하기 위해 포터필터의 크기를 줄여서 사용한다.
　예1) 달라코르테 : 그룹 헤드 내부 물 직접 가열방식이기 때문에, 작은 크기의
　　　포터필터(53mm)를 사용한다.
　예2) 라스파지알레 : 보일러 내부 온도가 120℃ 이상의 스팀으로 열 교환 후 커피를
　　　추출하기 때문에 작은 크기의 포터필터(52mm)를 사용한다.
•직접 가열방식과 간접 가열방식이 혼합된 경우의 머신은 열 교환 히팅 온도편차가 많지
 않아서 포터필터의 크기를 58mm로 사용한다.
•직접 가열방식 중 콘티 트윈스타의 경우 보일러 외부에 히팅코일을 감아 히팅 온도
 편차와 물에 대한 스트레스를 최소화하여 58mm의 포터필터를 사용한다.

[운용 방법]

•포터필터에 분쇄된 커피, 파드, 캡슐 등을 넣고 그룹 헤드에 장착하여 고온의 물을

8~10bar로 가압하여 커피를 추출한다.
- 포터필터에 커피를 적정량 투입하는 방법
 ①원샷용 : 그라인더 호퍼 뚜껑을 이용하여 커피를 수평보다 낮게 투입한 뒤 추출한다.
 ②투샷용 이상 : 포터필터를 흔들지 말고 포터필터 바스켓에 담긴 커피를 수평으로
   깎아 내고 탬핑하여 추출한다.
 ※이유 : 투입량과 바스켓의 구멍의 비율을 수평으로 깎았을 때, 추출 비율이 일치한다.
- 커피의 투입량을 늘리고 싶으면 바스켓의 용량이 큰 것을 사용한다. 투입량과 바스켓의
  구멍 수는 비례한다. 따라서 투입량을 늘리면 바스켓의 구멍수도 더 많아져야 한다.

[고장 증상 및 수리]

- 개스킷이 경화되거나 크랙이 간 경우는 포터필터에서 누수가 발생한다.
 → 개스킷 교체
- 샤워망이 일부 막힌 경우 물 공급이 전체적으로 이루어지지 않는다.
 → 샤워망 교체
- 바스켓의 내부에 균열이 발생한 경우 추출된 커피에 커피 가루가 많이 섞여 나온다.
 → 바스켓 교체

- 그룹 헤드에 장착된 포터필터 핸들이 우측으로 많이 돌아가는 경우
 ①부적절한 개스킷 사용
 ②포터필터 핸들걸쇠의 마모
 ③그룹 헤드 포터필터 가이드의 마모
 ※조치 : 개스킷에 종이나 고무 등의 보조 개스킷을 사용하거나 규격보다 더 높은
   개스킷을 사용한다.

- 그룹 헤드에 장착된 포터필터 핸들이 중앙까지 오지 않는 경우
 ①원두 과다 투입 시
 ②규격보다 큰 개스킷 사용 시
 ③58mm 포터필터에 57mm용 바스켓을 장착하고 사용할 때
 ※조치 : 원두 투입량을 점검하고 규격에 맞는 바스켓, 개스킷, 포터필터를 사용한다.

- 포터필터의 마모에 따라 개스킷의 두께를 늘려주거나 보조 개스킷(종이, 고무)을 사용한다.
- 포터필터 투샷 스파우트에서 양쪽으로 현저하게 커피 추출량이 차이가 나는 경우 스파우트를 분해하여 내부를 깨끗하게 청소해준다(찌꺼기 및 이물질이 있을 때 포터 필터의 좌우 커피 추출량의 변화는 커피가 천천히 나올수록 더 심해진다-물의 표면장력 현상).

온수 스팀 밸브

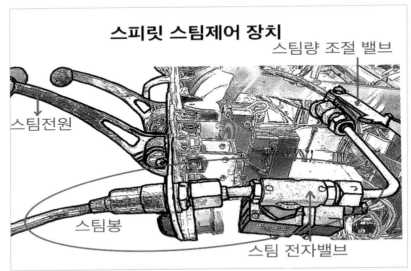

스피릿 스팀제어 장치

스팀량 조절 밸브

스팀전원

스팀봉

스팀 전자밸브

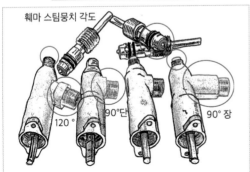

훼마 스팀뭉치 각도

120° 90°단 90° 장

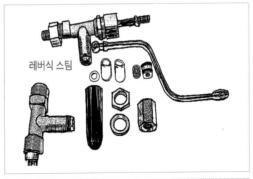

레버식 스팀

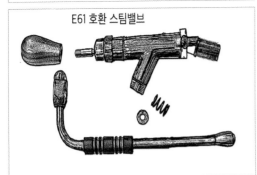

E61 호환 스팀밸브

스팀 부품 세트

온수 스팀 밸브   107

[종류]

- 상하 레버식 : 시네소, 까리말리, 아피아 등
- 다이얼 방식 : 리미니, 라마르조코, 산레모, 베제라 등
- 45도 핸들식 : 란실리오 등
- 전방향 레버식 : 라디오포니카, 일렉트라, 씨메 등
- 좌우 상하 방식 : BFC 에비에이터
- 버튼 및 전자 다이얼 방식 : 일부 머신의 경우 온수밸브는 2way 솔레노이드 밸브를 사용한다.

※M39 도사트론의 경우 2way 솔레노이드 밸브와 온도감지기를 이용하여 스팀과 공기유입량을 조절하여 적정의 우유거품을 만든다.

BFC 산레모

SM 이베리탈

VFA 이베리탈

X1 스팀 손잡이

가찌아

가찌아 세코

달라코르테

라스칼라 사브 산레모 아소카소
BFC 푸트라 로얄

라스파지알레 연결 부품

란실리오 에포카

란실리오 클라세

리미니 퓨처멧 스팀라인

스팀 온수 연결 관절

스팀 온수손잡이

스팀 온수손잡이

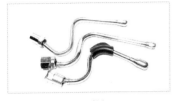
스팀봉

라심발리 베제라 SM

아우렐리아

아피아

배관 연장 니플(라심발리)

훼마

[설치되는 위치]

스팀밸브는 머신의 전면 좌우측에, 온수밸브는 주로 중앙에 위치한다.
※일부 머신의 경우 좌측에 스팀밸브, 우측에 온수밸브를 부착하는 경우도 있다
  (세코, 가찌아).

[기능]

• 온수나 스팀의 유출을 제어하며 주로 조리 커피를 만들 때 사용된다.
• 핸들을 좌우로 돌리거나 레버 등을 움직여 배관을 막고 있던 밀폐판을 열어 보일러의
  온수 또는 스팀을 내보낸다.

[다른 부품들과의 상관 관계]

• 온수 또는 스팀이 배출되면 보일러 내부의 압력이 떨어지거나 온도가 낮아진다. 이때 일정한 압력과 온도를 유지해주는 부품(압력스위치, 무접점 릴레이, 마그네틱 등)이 작동하여 히팅장치를 가동 시킨다.

• 지속적인 스팀 유출 → 밀폐고무가 마모되거나 오링이 손상되어 일어나는 현상이므로 부품을 수리하거나 교체한다.

• 스팀이 안 나오는 경우
 ① 배관이 스케일 등으로 막혀 있거나, 스팀 팁이 우유 단백질로 막혀 있는 경우 이물질을 제거하고 작동시킨다.
 ② 보일러의 히팅 시스템을 점검하고 히팅 후 작동시킨다.

• 온수가 안 나오는 경우
 ① 온수 팁이 스케일로 막혀 있는 경우가 많으므로 온수 팁의 스케일을 제거하고 작동시킨다.
 ② 보일러가 히팅이 안 되는 경우 온수가 안 나온다(온수는 보일러 내부 스팀압력에 의해 배출 된다).

• 스팀봉의 관절 부위에서 누수가 생길 때
 → 관절 부위의 오링이나 부품을 교체한다.

수위 감지봉

수위 감지봉

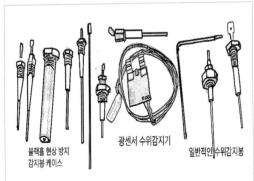

블랙홀 현상 방지
감지봉 케이스

광센서 수위감지기

일반적인 수위감지봉

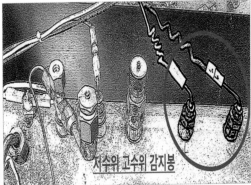

저수위 고수위 감지봉

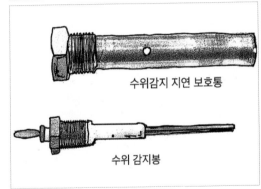

수위감지 지연 보호통

수위 감지봉

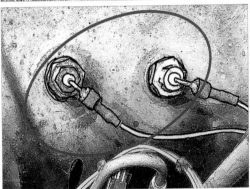

[종류]

• 탐침봉식: 주로 커피 머신과 온수기, 제빙기 등에 사용된다. 물과의 접촉면의 저항 값에 따라 (On/Off) 수위를 조절하는 방식이다. 표시하는 방식은 램프식(Light On/Off)과 디지털 방식, 직독식(수면계)이 있다.

• 광센서 감지식: 빛이 수면계를 투시하여 물량을 제어하는 방식(란실리오)

※제빙기: 온도감지 기계식 빈센서를 투시광 센서로 대치하여 얼음의 저장량을 제어 하였으나 이러한 방식은 고장률이 많아 점차 없어지고 있다.

• 부레식(뜨개밸브식): 커피 언(COFFEE URN), 번 등의 커피 추출기에서 사용되고 있고, 온수기와 제빙기 등에도 많이 사용되고 있다. 이러한 방식은 물의 높이에 따라

뜨개밸브가 위치 이동하면서 아날로그와 디지털 신호로 변환시켜 직접 제어하는 방식이다. 최근에는 점점 탐침봉으로 바뀌고 있다.

전자 압력 감지 센서

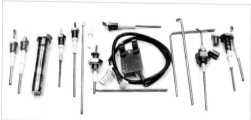

수위 감지기

라마르조코 저수위 고수위 감지봉과 센서

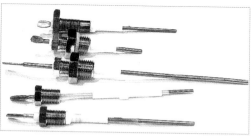

수위 감지기

SM

스피릿 저·고수위 감지기

전자식 감지 센서

[설치되는 위치]

• 탐침봉식

①보일러 상부에 설치되는 경우 : 일자형으로 고수위와 저수위 두 개의 탐침봉이 설치되는 경우와 고수위 한 개만 설치되는 경우가 있다.

②보일러 옆면에 설치되는 경우: ㄷ자형으로 고수위를 감지하는데 점점 없어지는 추세이다(시모넬리 아피아).

③수면계 유리 내부에 설치되는 경우: 일자형으로 수면계 내부 수위를 감지한다 (일부 SM 기종).

- 광센서 방식: 주로 수면계 유리표면에 장착된다.
- 뜨개밸브식: 드립식 브로워 커피 머신, 제빙기, 온수기의 취수통 상부에 설치하며 수면과 직각 또는 수평으로 설치된다.

[기능]

- 고수위 감지: 수위를 조절해준다.
- 저수위 감지: 히팅코일의 작동을 지시한다.
※과수위 감지: 수위나 압력이 높아짐으로 인한 과열 및 누수 등을 차단하기 위해 머신의 전원을 차단하고 에러 코드를 내보낸다(라심발리 일부 기종, 과압력 밸브가 장착된 일부 머신).

[고장 증상과 수리]

- 메인보드의 에러로 인해 물이 과잉 공급되거나 공급되지 않을 때
  →어스 부분을 점검한 후 메인보드를 수리하거나 교체한다.
- 어스(접지)선의 단락→물이 계속 과잉 공급된다. 녹색 어스선의 단락 유무를 확인하여 수리하고 어스선이 메인보드에 도달할 수 있도록 조치한다.
- 메인보드 및 접지선의 이상 증상이 없지만 가끔 물이 과잉 급수되어 물 넘침이 발생될 때
  →외부의 접지선이 커피 머신 내부의 접지에 영향을 끼쳐 몇 초 간격 또는 며칠 간격으로 가끔씩 물을 과잉 공급하는 현상이므로 건물 전체의 어스(접지)와 누전상태를 점검하여 조치한다(제빙기, 냉장고 등에 영향을 받기 쉽다).
- 탐침봉이나 뜨개밸브에 스케일이 많이 생성되어 감지가 둔화될 때→수위가 높아지는 경우이므로 탐침봉이나 뜨개밸브의 스케일을 제거한 후 사용한다.
- 탐침봉의 민감한 감지로 인하여 물의 급수가 충분히 되지 않을 때→테프론관 등으로 탐침봉의 하부 끝을 남기고 나머지 상부를 감싼 후 조립하여 사용하거나 프로그램에서 민감도를 조정한다.
- 액정이 있는 머신은 메인보드에서 민감도를 조절하여 급수를 통제할 수 있다.
※보일러 윗면의 수위 감지봉은 상하로 움직여 보일러의 물높이를 조절할 수 있고, 보일러 옆면의 수위 감지봉은 좌우로 움직여 수위를 조절할 수 있다. 광센서 수위 감지봉은 광센서를 직접 상하로 움직여서 수위를 조절할 수 있다.

터치 버튼

터치 버튼

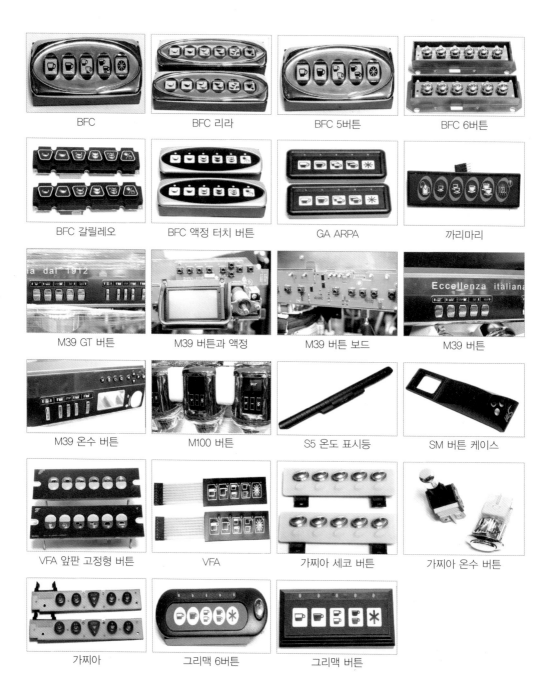

BFC	BFC 리라	BFC 5버튼	BFC 6버튼
BFC 갈릴레오	BFC 액정 터치 버튼	GA ARPA	까리마리
M39 GT 버튼	M39 버튼과 액정	M39 버튼 보드	M39 버튼
M39 온수 버튼	M100 버튼	S5 온도 표시등	SM 버튼 케이스
VFA 앞판 고정형 버튼	VFA	가찌아 세코 버튼	가찌아 온수 버튼
가찌아	그리맥 6버튼	그리맥 버튼	

달라코르테 20.03 에블루션

라마르조코 버튼 스티커

라스파지알레 버튼 케이스

라스파지알레 세팅 버튼

라스칼라

라마르조코 클래식 튜닝버튼
샷 타임형

라마르조코

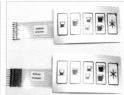
라파보니

라스파지알레 볼트 덮개

라파보니

라파보니 BAR

라스파지알레 S5 버튼

레네카 전면

레네카

란실리오 에포카

란실리오 클라쎄 8

란실리오 클라쎄 10

란실리오 S27

란실리오 에포카

로켓 개별 버튼

로켓 독립 버튼

로켓 독립 버튼

로켓 독립 버튼

로켓 리네아

로켓 밀라노

로켓 박서

로켓 버튼 뒷면

리미니 버튼

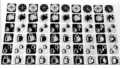

버튼 스티커

버튼 스티커

마캅

사브 버튼

비앙키

마지스타 기타 사각 버튼 공용

버튼판 인쇄 제작

마다카프

브르그네티 버튼

브르그네티

커피머신 버튼

산레모 베네치아

베제라

산 마리노

사브

VBM

베제라 버튼

산레모

산레모 토리노 조에

산마르코 버튼

수동 버튼

시모넬리 아피아

시모넬리 아피아 판 내부 버튼

라심발리 M29 버튼

아우렐리아 버튼

아이맥스 호레카

아즈코엔

아피아 버튼 5P

엑스포바 버튼 메인보드
일체형

엑스포바

이베리탈

콘티 클럽

훼마 m22

퓨처멧 리미니

피오렌자또 CS

훼마 E98

훼마 RE

훼마 스마트

훼마 에노바

푸트라

일렉트라 5버튼

일렉트라 7버튼

카사디오

[종류]

• 핀 개수에 따른 분류

2열 14핀, 2열 16핀, 1열 14핀, 1열 16핀, 2열 12핀

①정전식: BFC 리라, SM 100E

②감압식(손으로 압력을 가하는 방식)

　㉠플라스틱 버튼: 리라, 라마르조코, 산레모 등 대부분이 버튼식 터치

　㉡종이 버튼: 훼마 E98, 세코, 가찌아, 라파보니

　㉢고무탄소 코팅 버튼: 로켓 박서, 산레모, 조에, BFC, 갈릴레오 등

　㉣스위치 개별 버튼: 라마르조코 리네아, 가스식 프라치노(FRACINO), 폼페이

　　　　　　　　　마이웨이 버튼식(유량계가 없는 머신에 많이 사용됨)

　㉤레버식 버튼: 라마르조코 스트라다, 시네소 등

• 버튼의 개수에 따른 분류

①1개: 주로 수동머신(라마르조코, 가스겸용 머신, 마이웨이)

②3개: 1, 2번은 추출 버튼이고, 3번은 세팅 버튼(라마르조코 일부 머신)

③5개: 보통 1번과 3번, 5번 중 하나가 세팅 버튼이고, 대부분 5번이 세팅 버튼이다.

　　　그 외 나머지 버튼은 추출 버튼이다.

🔍　3번 세팅 버튼: 이베리탈 IB7/5번 세팅 버튼: 일렉트라 콘티, BFC 란실리오,
　　라스파지알레 등 / 1번 세팅 버튼: 로켓, 에트니카

④6개: 1번, 5번, 6번 중 하나는 대부분이 세팅 버튼이며, 나머지는 커피 추출 버튼이다.

※세팅 버튼: 1번 로켓, 5번 프로맥, 6번 베제라

⑤6개 버튼의 예외(까리말리 좌측 버튼): 1번 엔터키, 2번 -, 3번 +, 4번 esc, 5번

　　커피 추출, 6번 연속 추출. 그리고 2그룹 중 우측 버튼은 모두 커피 추출 버튼이다.

※일부 SM 머신의 경우 머신을 끄고 다시 켠 후 5초 안에 세팅 모드 진입

[설치되는 위치]

주로 커피머신의 전면부 상단에 위치하며 일부 머신(소피아, GA)은 하단부에 설치하는 경우도 있다. 최근에는 제조사별로 머신을 돋보이게 하기 위해 버튼과 LED 램

프를 디자인에 많은 노력을 기울이고 있다.

[기능]

• 버튼을 터치하여 커피를 추출하거나 온수 및 스팀을 제어한다.
• 세팅 버튼을 눌러 커피머신의 운용 프로그램을 세팅 할 수 있다.
※세팅 버튼은 머신별로 다양한 그림이나 문자, 색상으로 표시된다.
①그림: 안테나, 별, 3컵, 머그컵, 원형, 화살표
②문자: K(일렉트라), P, PROG, STOP
③색상: 적색, 녹색
• 자동 클리닝 및 수동 클리닝 작업을 수행한다.
• 버튼으로 모든 커피머신의 상태와 메인보드의 동작 메뉴 등을 제어할 수 있다.
※특정 버튼에 피로도가 누적되지 않도록 골고루 사용하는 것이 매우 중요하다.

[세팅 방법]

• 일반적인 머신의 물량 세팅 방법
①세팅 버튼을 5초 이상 계속해서 길게 누른다.
②버튼이 깜박거리거나 액정 방식인 경우 Dose Setting이라는 글이 뜨면 손을 뗀다.
  →물량 세팅 모드 진입

주의사항

7~10초 이상 계속 누르고 있으면 프로그램 모드로 진입하게 된다(액정 방식:
BFC, 프로맥, 콘티 제우스 등).

---

③포터필터에 커피를 넣고 장착한 후 원하는 버튼을 누른다. 원하는 양이 추출되면
  다시 그 버튼을 누른다. (프로그램 버튼을 누르는 경우도 있다.)
※아피아, 웨가 등의 머신은 세팅 버튼이나 STOP 버튼을 누른다.
④훼마, 리미니 등은 계속 누르는 동안 세팅이 되고 손을 떼면 세팅이 끝난다.
⑤다른 버튼도 위와 같은 순서를 반복하여 세팅한다.
※세팅 완료 후 물이 나오지 않는 경우는 유량계 고장이거나 유량계와의 통신 불량

이 원인이다.

⑥5초 이상 대기하고 있으면 현재 세팅 값이 자동 저장되고 추출상태로 전환된다. 일부 머신은 세팅 버튼을 눌러서 세팅을 완료하거나 전원을 껐다가 다시 켜면 된다 (아피아, 아우렐리아, 훼마 등).

[물량의 자동복사]
①왼쪽 버튼이 기준인 경우 오른쪽으로 자동 복사된다(BFC, 라마르조코, 베제라, 라스파 지알레 등).
②오른쪽 버튼이 기준인 경우 오른쪽을 세팅하면 왼쪽 버튼들이 자동으로 복사된다(산마르코, 웨가, 에트니카 등).
③다른 쪽 세팅 버튼을 10초 이상 계속 누르고 있으면 자동으로 복사된다 (아피아, 아우렐리아 등).

• 사용자 매뉴얼 세팅 방법
①세팅 버튼을 5초 이상 누르면 물량 세팅에 진입하지만, 7~10초 이상 계속 누르고 있으면 사용자 프로그램 모드로 진입하게 된다(액정 방식: BFC, 프로맥, 콘티 제우스 등).

이 모드에서 확인 및 세팅이 가능한 것
①각 버튼별 커피 추출 잔수
②일자, 시간, 요일 세팅
③자동 On/Off 기능
④정수기 물량 알림 세팅
⑤서비스 시기 세팅

※사용자 세팅의 예
①번과 ②번 버튼을 사용하여 화면을 찾고, ③번 버튼으로 세팅하며, 프로그램버튼 (P 버튼)으로 다음 단계로 진입한다.
▶CLOCK-현재 시각
▶AUTO-On/Off

Q Auto On-Off 기능은 자동으로 켜지는 시간과 꺼지는 시간, 그리고 요일별
  설정도 가능하다.
  ▶LITRES
  ▶SERVICE
  ▶COFFEE TOTAL-추출 잔 수 표시
  ▶ESPRESSO GR1 ▶ESPRESSO GR2 ▶ESPRESSO GR3
  ▶TEA GR1 ▶TEA GR2 ▶TEA GR3

• 전문 기술자 모드 진입 세팅 방법
① 세팅 버튼+③번 버튼을 누르면 머신이 Off(ECO) 상태가 되고, 머신 버튼의 LED
   등이 꺼진다(다시 원상 복귀시키려면 ①세팅 버튼+③번 버튼을 다시 누르면 머신이
   On으로 바뀐다. 일부머신은 ⑤번+③번을 누르거나 ⑤번+⑥번을 눌러 off(ECO)
   모드로 들어갈 수 있다).
※ 일렉트라 머신은 키(KEY)를 이용하여 세팅 모드에 진입하고, 콘티, 클럽 등의 머신은
   세팅 모드(에코 모드) 버튼을 사용한다. (키가 분실된 경우 키의 두 선을 잠시 결속하여
   세팅 모드에 진입한다.)
※ SM(산마르코) 커피 머신은 머신을 끄고 켠 후 SET 글자가 사라지기 5초 이내에
   세팅 버튼을 눌러 세팅 모드에 진입한다. 5초가 지나면 세팅 모드에 진입이 불가
   하다. SM 계열의 그라인더도 동일한 방법으로 세팅 모드에 들어갈 수 있다.
② 프로그램 버튼을 길게 누른다(7~10초)→메뉴 버튼에 언어 선택 메시지가 나온다.
   그리고 언어 선택 메시지가 나오기 전에 비밀번호가 나올 수 있다.
※ 비밀번호는 머신별로 다르지만 앞 판넬의 버튼 순서를 좌에서 우로 1, 2, 3, 4, 5…
   등 순서로 숫자를 정한다.
※ 예1) 일부 머신의 비밀번호가 21845라면 2번-1번-8번-4번-5번 버튼을 누르면 된다.
※ 예2) 일부 머신은 1번 키와 2번 키를 사용하여 숫자를 변화시키고, 3번 키(ENTER)를
       눌러 선택한 후 이동시켜 다음 번호를 선택하는 방식으로 진행한다.
※ 예3) 비밀번호는 222222 123123 44444 11111 12121 21212 21845 00000 등이
       비밀번호일 수도 있다.
※ 예4) 연도월일로 날마다 변하는 비밀번호도 있다(2024년 12월 19일이라면
       →191224로 액정에 나와 있는 날짜를 기준으로 입력하는 머신도 있다).

1. 비밀번호는 머신 제조사별로 다양하므로 제조사에 문의하기 바란다.

2. 기술자 모드에서 확인 및 세팅이 가능한 것
　①언어 선택　　　　　　　　②상호 업체명 입력
　③서비스폰 연락처 입력　　　④추출시간 표시 여부
　⑤추출온도 표시 여부　　　　⑥키보드 타입(그룹선택)
　⑦사용자 외부 물량 세팅 여부　⑧프로그램 세팅 버튼 물량 입력
　⑨급수 시 펌프 작동(On/Off)　⑩스팀 보일러 온도 조정
　⑪프리인퓨전 기능(적심 기능 On/Off) → On 시 각 버튼별 시간 입력
　⑫수위 감지봉 센서 감응 정도　⑬서비스 사이클(추출 잔 수에 따른 A/S 사이클)
　⑭머신 작동 시간(TIME On/Off)
　⑮정수기 필터 수명 입력(일부 머신은 비밀번호를 변경할 수 있는 기능이 있음)

3. 세팅 사례
1) ⑤번 P+ ③번 2잔 버튼을 동시에 눌러 액정전원을 끈다. → Off
2) P를 5초 이상 계속 누름 → LANGUAGE
　①LANGUAGE : 언어 선택(①번과 ②번 버튼을 눌러 선택)
　②NAME : 상호 입력
　③SERVICE PHONE(관리자 전화번호)
　④CRONO FUNCTION CRONO(추출시간): ENABLED / DISABLED
　⑤DISP.TEMPERAT(내부 온도): ENABLED / DISABLED
　⑥KEYBORD TYPE(운영된 PCB 호환성)
　⑦DOSES SETTING(물량 세팅): ENABLED / DISABLED
　⑧3 COFFEE KEY(프로그램 버튼 사용 여부) : ENABLED / DISABLED
　⑨TEA WITH PUMP(온수펌프 작동 여부) : YES / NO
　⑩STEAMBOILER(스팀 보일러 여부)
　⑪PREBREWING(적심 기능 설정): ENABLED / DISABLED
　⑫PROBE SENSITIVITY(수위감지봉 민감도): HIGH / MID / LOW
　⑬SERVICE CYCLES(추출에 따른 사이클)
　⑭PILLING UP T-OUT(히팅 전원 차단 시간)

⑮WATER FILTER(정수필터 교체 시기)

⑯OFF

4. 설명되지 않은 중요 사항: 세팅 시 인퓨전 타임을 세팅한 경우 인퓨전 타임을 1번과 2번 버튼을 눌러서 조절할 수 있다. 이때 On-time은 처음에 물을 넣어 적셔주는 시간을 의미하며, Off-time은 본격 추출되기 전의 (뜸 들이는) 중간시간을 의미한다. 이것으로 버튼마다 설정할 수 있으므로 각 업소에 맞는 최적의 맛을 찾을 수 있다 .

5. 오토스팀의 경우 먼저 스팀레버를 다 연 후 맨 우측의 스팀버튼을 눌러 우유를 데운다. 세팅 방법도 커피 추출과 마찬가지이다. 그러나 먼저 스팀피처에 우유와 온도계를 넣고 원하는 온도까지 세팅을 하면 된다.

[다른 부품들과의 상관관계]

• 메인보드: 버튼에 의해 메인보드를 제어하거나 메인보드에 의해 버튼이 작동할 수 있도록 전원을 공급한다.
• 연결 잭: 메인보드와 연결되는 통신 잭으로 단선이나 단락 및 접촉 불량에 주의해야 한다.
• 버튼 중 하나만 단락되는 경우로 머신 대기상태이거나 작동 중 에러가 뜨거나 작동이 안될 수 있다.
• 버튼 지지대 또는 안쪽 버튼 케이스가 열로 인해 경화되는 경우 열 차단에 주의해야 한다.

[고장 수리와 교체]

• 전체 교체가 필요한 경우: 종이 버튼이나 마그네틱 일체형 버튼인 경우(세코, 가찌아, 씨메, 갈릴레오 등)
• 각 버튼별 수리가 가능한 경우: 버튼마다 테스트 후 고장 발생시 교체가 가능하다 (BFC, 엑스포바, 라마르조코, 콘티 등).

라마르조코, 콘티 등)

• 터치 버튼 출력이 되지 않을 경우: 버튼의 연결 잭에 이물질이 끼었거나 일부 버튼의
  접촉이 계속되는 경우는 청소 후 조립하거나 교체한다.

• 버튼이 깜박거릴 경우: 물의 공급이 안 되거나 유량계 고장

주의사항

①터치 버튼의 종류는 회사별로 매우 다양하다. 최근에는 전자식 및 터치 감응식으로
  바뀌고 있다. 고장 시 수리가 어렵고, 교체 시 수리비용도 비싼 편이다.

②터치 버튼의 출력 쪽 핀 수가 동일하면 서로 호환될 가능성이 많으며 어떤 기종은
  버튼별 수리도 가능하다.

③얇은 판으로 된 종이 버튼은 수리가 어려워 일체형으로 교체한다.

④버튼은 강하게 누르지 말고 부드럽게 터치해야 한다.

⑤버튼을 길게 계속 누르면 세팅 모드로 바뀔 수 있으므로 주의해야 한다.

⑥접촉 핀 수가 같은 경우 서로 호환할 수 있으나 크기 및 디자인이 다를 경우 버튼
  고정 판넬을 타공하여 교체할 수 있다. 이때 회로 패턴이 일치하는지 확인한다.

메인보드(PCB, 마더보드, 파워보드)

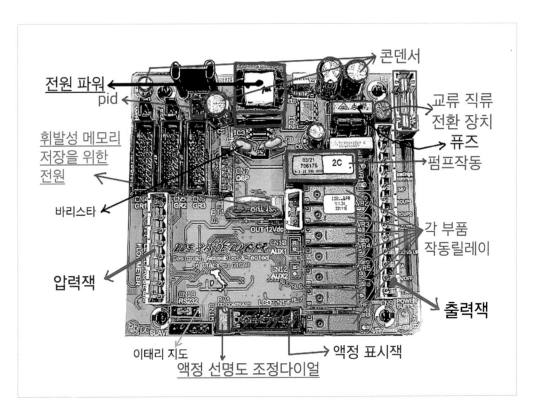

전원 파워
pid
콘덴서
교류 직류 전환 장치
퓨즈
펌프작동
휘발성 메모리 저장을 위한 전원
바리스타
각 부품 작동릴레이
압력잭
출력잭
이태리 지도
액정 표시잭
액정 선명도 조정다이얼

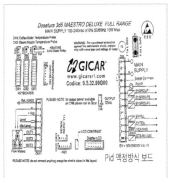

Pid 액정방식 보드

잭 배선도 도면

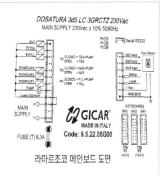

라마르조코 메인보드 도면

[종류]

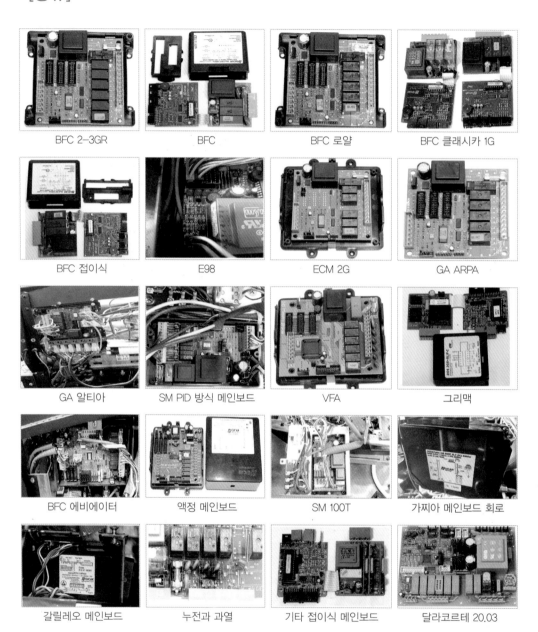

BFC 2-3GR	BFC	BFC 로얄	BFC 클래시카 1G
BFC 접이식	E98	ECM 2G	GA ARPA
GA 알티아	SM PID 방식 메인보드	VFA	그리맥
BFC 에비에이터	액정 메인보드	SM 100T	가찌아 메인보드 회로
갈릴레오 메인보드	누전과 과열	기타 접이식 메인보드	달라코르테 20.03

달라코르테 메인보드

라마르조코 GB5

라마르조코 리네아 3G

라마르조코 리네아

까리마리 1

까리마리 2

달라코르테 그룹용

라마르조코 2-3Gr

라산마르코 TOP80

라스칼라 메인보드

라스칼라 카르멘 1

라스칼라 카르멘 2

라스파지알레 100T 버튼

라스파지알레 EK 2G

라스파지알레 S5

라스파지알레 메인보드

라스파지알레 접이식

란실리오 에포카 1

란실리오 2

란실리오 에포카 2

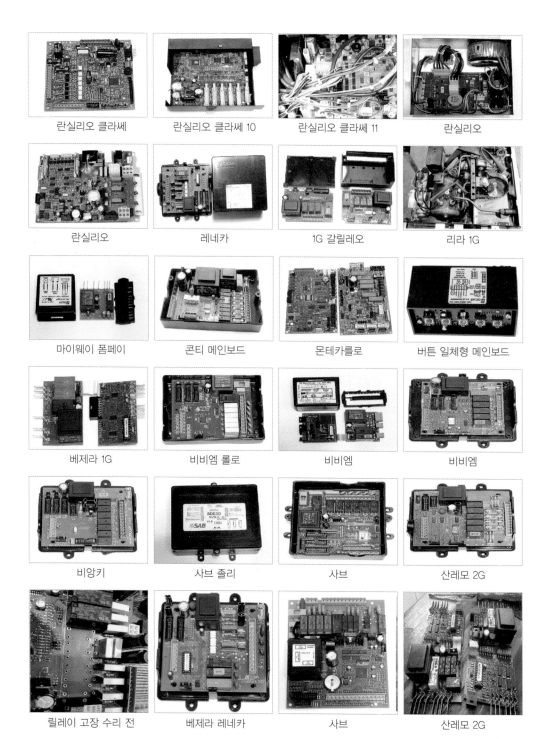

란실리오 클라쎄	란실리오 클라쎄 10	란실리오 클라쎄 11	란실리오
란실리오	레네카	1G 갈릴레오	리라 1G
마이웨이 폼페이	콘티 메인보드	몬테카를로	버튼 일체형 메인보드
베제라 1G	비비엠 롤로	비비엠	비비엠
비앙키	사브 졸리	사브	산레모 2G
릴레이 고장 수리 전	베제라 레네카	사브	산레모 2G

산레모 ZOE

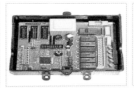

산레모

산마르코 100E 105E

산마리노

스피릿 메인보드

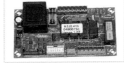

시모넬리 맥

시모넬리 뮤지카

라심발리 M29

라심발리 훼마 레벨보드

아우렐리아 2G

아우렐리아 3G

아피아 1G

아스토리아, 웨가

아우렐리아, 아피아 메인보드

아피아 2G

아피아 3G

아피아 2G(구형)

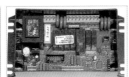

아피아 컴팩 2G

아피아 콘덴서 불량

엑스포바 일체형

아피아 26핀, 14핀

엑스포바 오닉스프로 16

웨가 페가소

일렉트라 KUP

일렉트라 맥시 7P

일렉트라

일렉트라 맥시 1

일렉트라 맥시 2

오닉스프로 메인보드 및 PID

웨가 아트라스

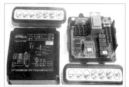
일렉트라 7P

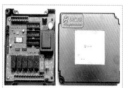
일반 공용

일리 가정용

접이식 메인보드

콘티 트윈스타 액정

클럽 DS7

입형 보일러 메인보드

콘티 릴레이보드

콘티 트윈스타

콤팍 그라인더 보드

클럽 메인보드

클래시카

키스반더웨스턴

피오렌자또

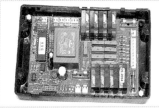

| 퓨처멧 리미니 | 피오렌자또 회로도 | 훼마 라심발리 공통메인보드 |

[설치되는 위치]

- 주로 머신의 중간부분 측면에 설치되는 경우가 대부분이다(주로 히팅코일 반대편에 장착).
- 상부에 설치되는 경우는 보일러의 열기로 인해 메인보드의 수명이 짧아질 수 있다.
  -이를 보완 하기 위해 쿨링팬을 설치하는 등 열기를 배출하도록 제작된다(라마르 조코, 란실리오 등).
- 하부에 설치되는 경우는 누수로 인한 메인보드 손상이 많이 발생될 수 있다. 이를 보완하기 위해 회사별로 각종 보호장치를 하고 있다(달라코르테, GA, 마지스타 등).

[기능]

- 커피머신 각 부품의 상태를 입력받아 전기적인 신호로 출력하여 머신의 부품을 제어하는 역할을 한다.
- 고장률을 줄이기 위해 220V 교류를 직류 12V로 전환한 뒤 직류 5~6V로 작동하지만, 부품에 대한 출력은 12V, 24V, 220V 등의 다양한 출력값을 가지고 있다.
  ①12V: 메인보드 내부의 부품에 대한 입력 값
  ②24V 출력: 란실리오, 달라코르테 등의 일부 머신(AC, DC)
  ③220V 출력: BFC, 씨메, 프로맥 등의 대부분의 머신
- 파워보드(메인 전원 공급)가 별도로 있는 경우도 있다(몬테카를로, 란실리오).
- 마이웨이 머신의 메인보드는 보일러의 급수만 담당한다.
- 24V경우 직류와 교류를 구분하여 사용한다. → 구분하지 않는 경우 에러가 발생한다.

[고장 증상과 수리]

〈수리 시 필요한 부품 종류〉

용접 도구

흡입기 및 용접기

LED 저항 센서류

TR 외

릴레이

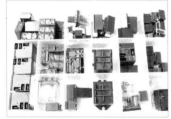

릴레이

마그네틱 부품 외

보드 릴레이

부품

전자식 트랜스

콘덴서

콘덴서

콘덴서

트라이악

트랜스 직류 교류

트랜스

트랜스

• 누전 차단기 작동: 메인보드의 패턴 및 누수로 인한 오염→TCE(삼염화에틸렌)로 메인보드 세척 건조 및 패턴 파손 시 납땜하여 패턴 부활시킴.

※메인보드가 탄 경우 탄 부분의 탄소를 완전히 제거한 후 패턴을 부활시킨다.

• 전원이 안 들어올 때

①퓨즈 점검 및 부품 점검 후 수리하거나 교체

②트랜스 파워가 고장 난 경우 트랜스 교체(용량에 주의)

• 온수 버튼이나 커피 버튼을 작동할 때 메인보드가 다운되는 경우

→메인보드의 부품이 고장 난 경우이므로 부품을 교체하고 메인보드를 작동시킨다.

• 커피머신을 켰을 때 머신이 꺼지고 켜지고를 반복하는 현상이 발생하는 경우

→메인보드 부품 고장이므로 부품을 수리하거나 메인보드를 교체한다.

• 특정 퓨즈가 자주 단락되는 경우

→해당 부품을 찾아 저항값을 점검하여 수리 및 교체한다.

• 메인보드의 프로그램 오류가 자주 발생하는 경우

①메인보드에 약한 전류 흐름 및 방해 전류→TCE로 세척한다.

②작동 시 일부 오류가 발생하는 경우→연결 부위 결속 여부를 확인한다.

③과잉 급수가 자주 발생하는 경우→메인보드 어스를 점검한 후 민감도를 조정한다.

④메인보드를 공장 초기화 상태로 리셋한다(리셋 방법은 메인보드에 따라 다르다).

※고장사례

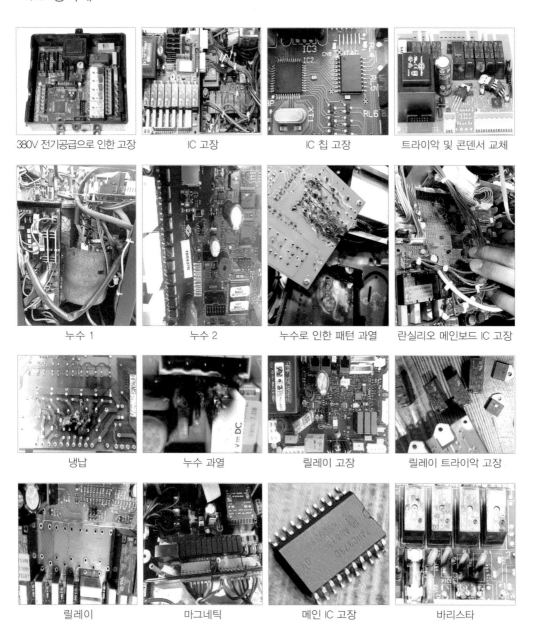

380V 전기공급으로 인한 고장	IC 고장
IC 칩 고장	트라이악 및 콘덴서 교체
누수 1	누수 2
누수로 인한 패턴 과열	란실리오 메인보드 IC 고장
냉납	누수 과열
릴레이 고장	릴레이 트라이악 고장
릴레이	마그네틱
메인 IC 고장	바리스타

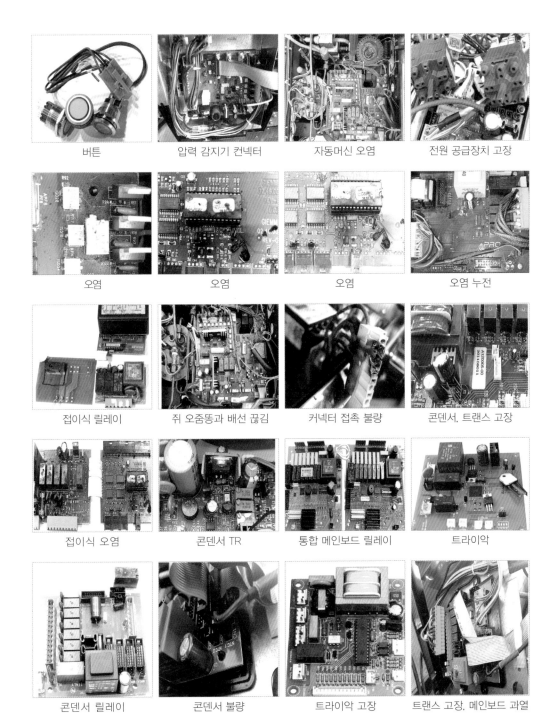

버튼	압력 감지기 컨넥터	자동머신 오염	전원 공급장치 고장
오염	오염	오염	오염 누전
접이식 릴레이	쥐 오줌똥과 배선 끊김	커넥터 접촉 불량	콘덴서, 트랜스 고장
접이식 오염	콘덴서 TR	통합 메인보드 릴레이	트라이악
콘덴서 릴레이	콘덴서 불량	트라이악 고장	트랜스 고장, 메인보드 과열

패턴 누전 화재 　　　　패턴 누전으로 인한 메인보드 손상 　　　　패턴 화재

 훼마 및 라심발리 계열 메인보드 장착 시 유의사항

　최근 메인보드 하나로 각 모델에 적용할 수 있는 통합 메인보드가 개발되고 있다. 특히 훼마나 라심발리 계열은 딥 스위치나 핀 스위치를 이용하여 모델별로 메인보드를 호환시키고 있다. 또 하나의 메인보드로 24V와 220V 회로를 사용할 수 있게 설계되어 교체 시 입력 전환 스위치의 착탈 여부에 따라 메인보드의 고장을 유발할 수 있으므로 주의가 필요하다.

커피머신 센서(감지기)

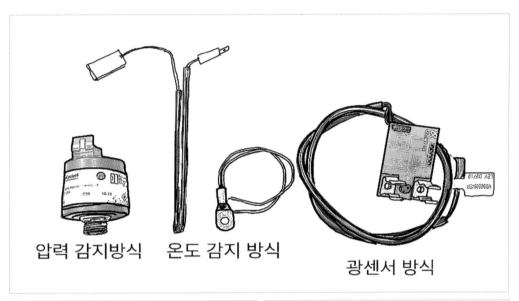

압력 감지방식　　온도 감지 방식　　광센서 방식

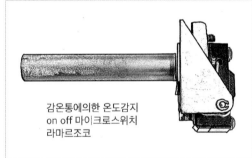

감온통에의한 온도감지
on off 마이크로스위치
라마르조코

압력 감지 센서

압력-저항값으로 변환　　압력-on off로 변환

[종류와 기능]

　전자식과 기계식으로 나누어지며 압력 감지 방식과 온도 감지 방식이 있다. 감지 형태에 따라서는 저항 값에 의한 감지 방식, 스프링 압력에 의한 감지방식과 감온통의 열팽창에 의한 감지 방식이 있다.

•압력 센서: 보일러 상부에 위치하여 스팀 압력(0~1.5bar)을 감지하거나, 대기 수

압(0~8bar)을 감지하거나 펌프 압력(0~15bar)을 감지할 때 사용된다. 대기 수압과 펌프 압력은 하나의 압력 센서로 사용되는 경우도 있다.

①전자식 압력 센서: 메인보드와 연결 통신하여 마그네틱 스위치 및 SSR(무접점 릴레이) 등을 통제하거나 메인보드에 압력 값을 전달한다.

②기계식 압력 센서: 일반적으로 압력 스위치는 메인보드와 상관없이 보일러의 히팅에 직접 관여하거나 마그네틱 스위치 등에 작은 전원을 공급하여 큰 전원을 히팅 코일에 공급한다. 일반적으로 커피머신 전원 스위치에 1, 2단이 있는 경우가 많다.

• 온도 센서: 히팅 코일 부분, 보일러 상부, 중간 부분, 과압력 배출라인 등에 위치한다.

①전자식 온도 센서: 메인보드나 PID 온도조절기와 통신하여 히팅을 제어한다.

②감온통 온도 센서

　㉠감온통의 팽창으로 압력이 증가하여 판과 스프링 등을 작동시켜 전원을 차단한다.

　㉡감온통의 팽창에 의해 마이크로 스위치를 작동시켜 히팅에 관여한다(라마르 조코 리네아 등).

③바이메탈 온도 센서: 서로 다른 두 금속의 열팽창률을 이용하여 일정하게 온도를 제어한다.

　㉠과열 버튼(시모넬리 아피아, 가찌아 등)

※배수구 근처에 있는 실리콘 과압력 배출라인에 설치되는 소피아 머신의 경우 과열 버튼으로 전원을 차단한다.

　㉡온도 릴레이(가찌아 그룹 헤드 등)

[고장 증상 및 수리]

- 전자식 압력 센서의 저항값이 현재 보일러 압력과 일치하지 않을 때 →압력 센서 연결 부위의 단락을 확인하고 메인보드 내의 가변저항으로 조정하여 영점을 잡거나 교체한다.

•기계식 압력 스위치는 과열되거나 히팅이 되지 않을 때 EML 등을 사용하여 청소하거나 압력을 조정하여 수리하거나 교체한다. [그리스(grease), WD-40 사용금지]
•감온통 온도 센서의 이상 발생 시 정밀 드라이버를 이용하여 영점을 다시 잡거나 교체한다.
※라마르조코 리네아의 경우 감온통이 고장 났을 때는 주로 PID 방식으로 튜닝하여 사용할 수 있으며 부품값이 더 저렴하다.
•단추 모양의 바이메탈 과열 버튼이 튀어나온 경우, 보일러 과열 원인을 파악하고 수리한 뒤 버튼을 눌러 수동 복귀시킨다.
•히팅 온도가 불안정할 때→히팅 코일 점검 및 히팅 바이메탈을 수리 및 교체하거나 압력 스위치나 PID를 점검한 후 수리 및 교체한다.
•무접점 릴레이로 전원이 출력되지 않거나 보일러 등이 과열될 때
→전자식 압력 센서나 온도 센서의 저항값을 점검한 후 이상이 있을 때 교체한다.
①전자식 온도 센서: 메인보드나 PID 온도조절기와 통신하여 히팅을 제어한다.
②감온통 온도 센서

무접점 릴레이(SSR)

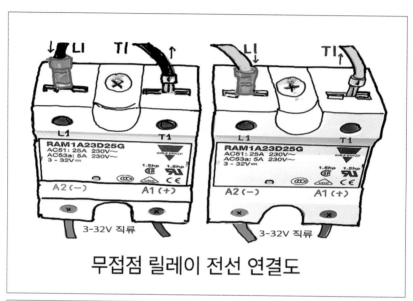

무접점 릴레이 전선 연결도

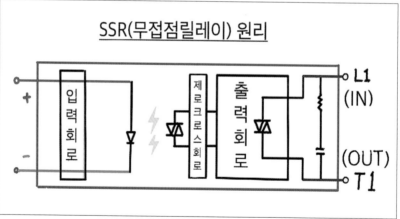

SSR(무접점릴레이) 원리

[종류]

3상

단상 무접점 릴레이

단상

3상

라산마르코 TOP80

SSR 방열판

릴레이

부품용량 2배 사용

입력DC 출력AC

입력AC 출력AC

오닉스프로

콘티

[설치되는 위치]

커피 머신 옆면 하부나 바닥에 설치되며 발열을 줄이기 위해 방열판을 이용한다.

[용도 및 기능]

- 커피 머신에서는 작은 직류 전압(3~32V)을 이용하여 큰 전류(220V/20~30A)를 흘려보내기 위해 사용된다.
- 단상(4핀)과 3상(8핀)에 사용되며, 주로 히팅 코일에 사용된다.
- 소음이나 외적인 변화가 없기 때문에 LED 램프를 두어 작동 여부를 파악하기 쉽게 제작된다.
- 주로 온도감지기의 디지털신호에 의한 메인보드의 직류전압에 의해 제어된다.
- 발열과 고장률을 줄이기 위해 실제 코일에 걸리는 용량의 2배 이상을 수용할 수 있는 무접점 릴레이를 사용한다.

[고장 증상 및 수리방법]

- 히팅 코일의 이상유무를 점검하고 이상 시 수리하거나 교체한다.
- 메인보드 출력이 나오지 않을 때는 부품을 수리하거나 교체한다.
- 무접점 릴레이의 입력측 +, - 전원을 확인하여 결속한 후 L1에서 T1으로 전원이 출력이 되지 않을 때 무접점 릴레이를 교체한다.

접점 릴레이

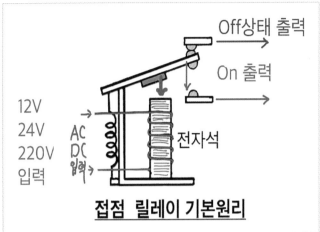

Off상태 출력

On 출력

12V
24V
220V
입력

AC
DC
입력

전자석

접점 릴레이 기본원리

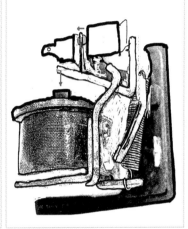

[종류]

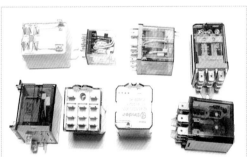

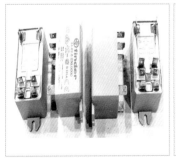

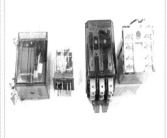

[용도 및 기능]

- 메인보드에서부터 각종 히팅장치, 전원공급장치 등 다양한 용도로 사용되고 있다.
- 작동 입력측은 낮은 암페어(A)의 전원(12V, 24V, 220V) 공급에 의해 큰 전류를 필요로 한 곳에 사용되며, NO, NC, 입력측 단자들로 구성된다.
- 메인보드에 주로 사용되는 릴레이는 4핀, 5핀, 6핀, 8핀이 주로 사용되며, 작동 입력측 전원은 12V가 사용된다. 입력측 전원에 직류와 교류를 사용할 수 있다.
- 입력측 전원이 220V인 경우는 히팅 코일이나 전원부쪽에 사용된다.
- 소형 압력스위치에서 감지된 압력신호를 접점 릴레이를 이용하여 히팅 코일에 큰 전원을 공급 할 때 사용된다(마그네틱 스위치를 사용하는 경우도 있다).
- 발열과 고장률을 줄이기 위해 스파크 킬러를 사용하거나 접점 부위에 걸리는 용량보다 더 큰 접점 릴레이를 사용한다.

[고장 증상 및 수리방법]

- 입력 코일의 이상유무를 점검하고 단선시 교체한다.
- 접점부위의 출력이 나오지 않을 때는 부품을 교체한다.

마그네틱 스위치

[종류]

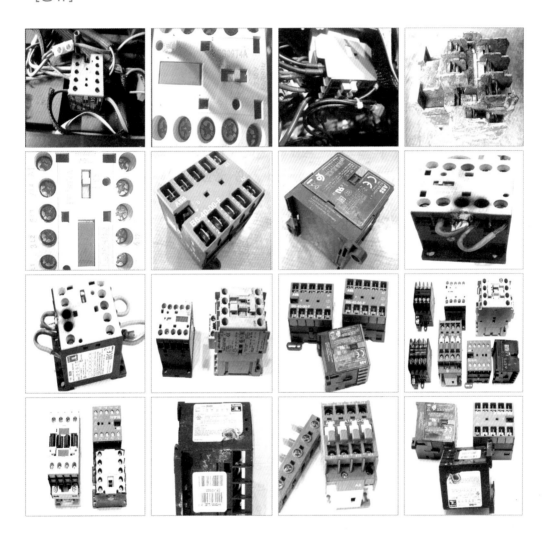

[설치되는 위치]

주로 머신의 좌우측 상단부에 설치된다.

[기능]

• 작은 암페어의 전류를 이용하여 큰 암페어의 전기를 전달하기 위해 사용되며, On/Off로 작동 된다.
• A, B선을 통하여 작동 전원(12V, 24V, 220V)이 공급되며, L1, L2, L3, L4 인입선을 통하여 공급 대기 중인 전원이 T1, T2, T3, T4로 출력된다(220V, 380V 등 큰 A(암페어)의 전류).
• 접점 부위의 발열 및 작동 시 발생하는 스파크를 제거하기 위해 스파크 킬러(바리스타)를 설치 하기도 한다.

[고장 증상 및 수리방법]

• 전원부측 코일이 파손된 경우 교체한다.
• 입출력 단자가 훼손된 경우 교체한다.

> 주의사항
> 결속 부위에 저항이 걸릴 경우 열에 의해 전선이 타거나 접점 부위가 파손될 수 있다.
> 전선을 결속할 때, 저항이 걸리지 않도록 단단히 결속한다.

압력 스위치

  압력 스위치는 일반적으로 압력을 감지하여 그 신호를 On/Off를 통하여 전기를 보내주고 드라이버 등을 이용하여 압력을 조정한다.

※전자식 압력 감지기는 감지된 압력을 저항값으로 변화시켜 보내주고 메인보드에서 압력 값이나 온도를 설정해야 한다.

압력 스위치

4핀

2핀

30A 6핀

파커 25A 6핀

[종류]

• 2핀 방식 : 라마르조코, 까리마리, 소형 가정용 머신 등에 많이 이용된다.
• 6핀 방식 : 일반적인 머신에 주로 사용된다. 배선을 통하여 히팅코일에 전원이 공급된다.

압력 스위치 분해

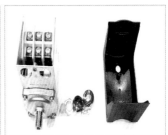

[설치되는 위치]

일반적으로 보일러 상부에 위치한다.

[기능]

• 6핀 압력스위치는 주로 대용량(25~35A)을 사용하여 히팅 코일에 직접 전원을 공급한다(훼마 E98, BFC 계열).
• 2핀(3핀) 압력스위치는 마그네틱 스위치나 접점 릴레이에 전원을 공급하여 히팅 코일을 작동시킨다(라마르조코).
• 스팀 압력을 감지하여 접점 부위의 전원을 차단하거나 공급한다.
• 압력 조절 방법 : 보통 1~1.1bar의 압력을 사용한다.
 ①+(압력 상승), -(압력과 온도가 내려간다.)
 ②일반적으로 일자 나사를 시계방향으로 돌리면 압력이 내려가고, 시계 반대 방향으로 돌리면 압력이 올라간다. 그러나 압력 스위치의 +, -의 방향이 반대인 경우도 있으니 잘 확인하고 조절해야 한다.

[고장 증상 및 수리방법]

• 스팀 생성이 안 된다.
 ①압력 스위치 접점 불량→압력 조정 및 수리하거나 교체
 ②전원이 정상적으로 공급되나 압력 스위치에서 전원이 감소하는 경우
　　→스파크 킬러 교체
※스파크 킬러(바리스타): 압력 스위치, 마그네틱 스위치, 릴레이 접점 부위에 발생
　하는 전기 스파크를 줄여줌으로써 부품의 수명을 연장하고 스파크로 인한 열 발
　생을 감소시키는 역할을 한다. 하지만 스파크 킬러 고장 시 정상적인 전원공급이
　안 되는 경우가 있으므로 스파크 킬러를 제거하거나 교체한다.
• 과열이 된다.
 ①압력 스위치 일부 접점 부위가 붙어 있는 경우→수리 및 교체
 ②압력 감지 배관이 스케일로 막힐 경우→스케일 제거

③압력 스위치의 압력을 마이너스(-) 방향으로 조정하고 조정이 안 될 경우 교체
•스팀이 생성되는 속도가 느리다.
①히팅 코일의 일부가 파손된 경우→히팅 코일 교체
②압력 스위치의 접점 일부가 파손된 경우
  →접점 부위를 옮겨서 배선하거나 수리 및 교체
③마그네틱 스위치와 연동된 경우→마그네틱 스위치 점검 및 교체
•접점 부위가 이물질로 인해 작동이 잘 안 될 경우
①접점 부활제(EML)를 뿌려준다.
②접점 부위를 사포로 연마한 뒤 조립하여 다시 압력을 재조정한다.

전원 스위치

[종류]

- 1단형(On/Off형) : 커피머신의 수동 버튼, 튜닝 버튼, 저수위 감지봉이 있는 일부 커피머신의 메인전원이나 온수 버튼 등에 사용된다.
- 2단형(0, 1, 2) : 로터리 스위치 하나로 1번 급수와 2번 히팅 시스템을 분리해서 사용하는 방식
- 3단형(0, 1, 2, 3) : 로터리 스위치 하나로 1번 급수, 2번 2/3 히팅, 3번 Full(풀) 히팅

※1단형 스위치 2~3개를 부착하여 머신을 제어하는 방식 : 란실리오, 프로맥, 마지스타 등

[설치되는 위치]

주로 머신의 전원 분배기와 메인보드, 부품들 사이에 설치하는데 그 설치 장소는 머신의 전면 상부나 전면 좌우 또는 전면 하부에 위치한다.

[기능]

전원을 공급하여 일반적으로 1-급수, 2-히팅을 한다.

[고장 증상과 수리]

접속된 배선에 저항이 많이 발생하여 과열되거나 전원 출력이 일정하지 않은 경우
→결속을 단단히 해주거나 전원 스위치를 교체한다.

히팅장치

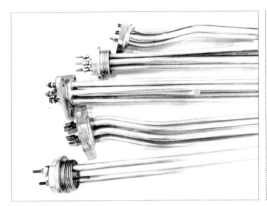
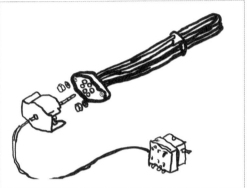

[종류]

•가스식 히팅 장치

①커피머신에서 설치되는 위치: 보일러의 외부 하단에 위치한다.

②주로 E61 형태의 일체형 보일러에 사용되고, 점화되면 자동으로 압력을 일정하게 유지하며 전력소모가 많은 전기식과 달리 히팅에 가스를 사용하므로 전력이 부족한 야외활동이나 차량 카페 등에 적합하다.

③사용되는 가스: LPG, LNG, 부탄가스 등

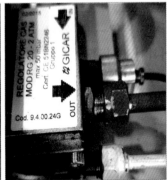

•전원을 공급하여 일반적으로 1-급수, 2-히팅을 한다.

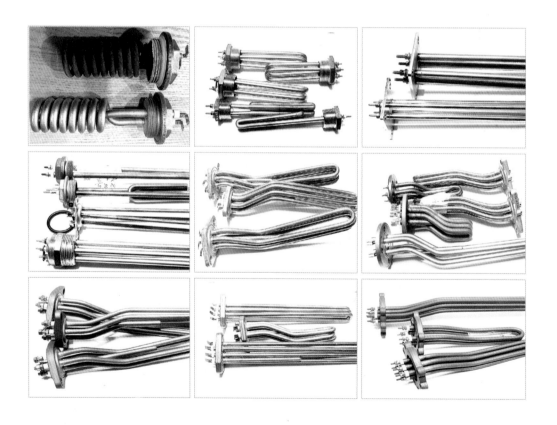

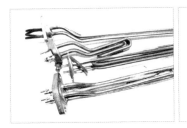

①형태별

　　㉠나사산 접합방식 : 개스킷과 테프론 테이프 등을 이용하여 밀폐시킨다. 히팅
　　　코일이 일직선으로 이루어지고 굴곡이 없으며, 히팅 코일이 회전하면서 밀폐
　　　된다. 그룹 헤드 히팅 방식과 입형 보일러에 많이 사용된다(라마르조코,
　　　BFC 1그룹 커피 머신, 까리마리, 산레모).

　　㉡볼트 접합방식 : 개스킷과 볼트를 이용하여 밀폐시키고 히팅 코일이 회전
　　　하지 않고 고정된 상태에서 밀폐시킨다. 일반적으로 보일러 하부로 히팅 코일이
　　　휘어져 있다. 볼트와 너트가 보통 2~4개 정도 사용된다.

※히팅 코일은 1열 2핀, 2열 4핀, 3열 6핀 방식이 가장 많이 사용되며, 가끔 봉 히터가
　사용 되는 경우도 있다. 봉 히터는 2핀 방식이다. 전원 접합방식은 주로 나사식과
　핀을 꽂는 방식을 사용한다.

②용량별 : 히팅 코일의 전기 용량은 스팀, 커피 추출 보일러의 크기 등에 따라 달라
　　　진다. 커피 머신에서 사용되는 차단기, 전선의 굵기 등은 표시 용량보다
　　　더 크게 사용하면 좋다.

[설치되는 위치]

• 보일러 내부의 하단부에 설치된다.
• 보일러 상부에서 하부로 설치되는 경우는 히팅 코일 부분이 물에 잠기는 곳에 위치
　되어야 한다(온도편차로 인한 균열을 방지하기 위함).

[기능]

　원활한 온수, 스팀, 커피 추출을 위해 적정한 용량의 히팅 코일을 사용한다. 순간적
으로 많은 전력이 소모되는 경우 과부하를 방지하기 위해 순차적으로 히팅을 진행하
는 경우가 있다(콘티, 달라코르테, 란실리오).

〈누수로 인한 고장 사례〉

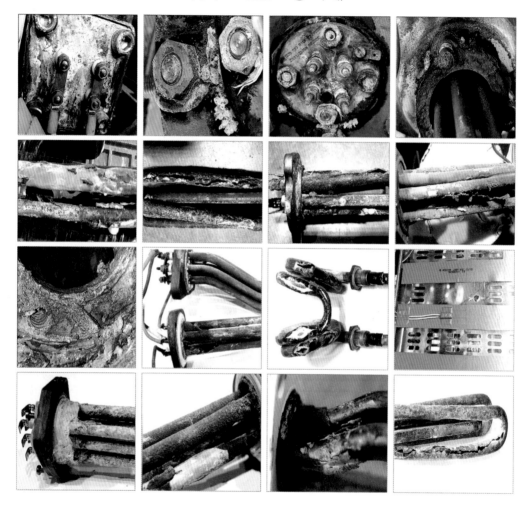

<과열로 인한 고장 사례>

※물이 없는 상태에서 히팅 시 코일 외부가 녹아내리게 된다.

• 누수로 인한 누전 발생 → 히터 개스킷 교체

• 과열로 인하여 공급전원 중단 → 고장 점검 수리 후 과열방지기 수동 복귀

• 히팅 코일 노후로 크랙이 발생하여 누전 차단이 된 경우 → 히팅 코일 교체

• 히팅 중 차단기가 작동되어 내려간 경우 → 누전차단기의 용량 부족이므로 용량을
  초과하는 차단기로 교체한다.

• 릴레이, 마그네틱, PID는 부품 고장으로 전원공급이 중단될 수 있다.

  → PID는 압력 스위치나 릴레이, 마그네틱 방식으로 개조 가능한 경우도 있다.

• 히팅 중 보일러에서 "텅텅"거리는 소리가 날 때 → 스케일이 부분적으로 많이 생성
  되어 있거나 히팅 코일 간의 간격이 일정하지 않아 히팅 시 팽창률이 달라져 히팅
  코일이 휘어지면서 벽면을 때리는 현상이다.

※히팅 코일의 간격을 일정하게 유지하기 위하여 클립 등으로 고정시키고 히팅 코일의
  스케일을 제거한다.

• 물속에 잠겨 있는 히팅 코일은 350℃까지 상승하고 물을 떠나서는 1000℃ 이상
  상승한다. 이 때 온도편차가 히팅 코일 고장의 주된 원인이다.

진공 방지기

진공 방지기 원리

[종류]

• 단독형(거의 모든 커피머신)
• 과압력 배출기와 일체형(베제라, 레네카)

[설치되는 위치]

• 보일러 상부
• 수면계 상부
• 과압력 배출기 내부

[기능]

- 보일러 내부의 진공을 방지하고 대기압과 일치시킨다.
- 히팅 후 보일러 내부의 스팀을 보호해주는 장치이다.
- 히팅이 될 때 팽창된 공기를 외부로 배출하며 물의 기화로 인한 수증기의 압력을 보존한다. 이때 압력은 1~1.3bar 사이이다.
- 보일러 내부에 스팀이 생성되면 상부 꼭지(내부 볼)가 올라가고, 스팀이 생성되기 전에는 상부 꼭지(내부 볼)가 내려가 있다.

[작동 원리]

압력밥솥의 추와 비슷하나, 작동원리는 그 반대이다.

[다른 부품들과의 상관관계]

- 압력 스위치: 진공 방지기가 작동되지 않으면 공기의 팽창으로 인해 히팅이 매우 느리다.
- 온도 센서: 2way 솔레노이드 밸브를 이용한 강제 압력배출기를 사용하는 경우도 있다(로켓 M39 등).

[고장 증상과 수리]

- 물 누수: 보일러에 물이 찬 경우→보일러의 급수를 점검한다.
- 스팀 누수: 오링이 손상된 경우→ 오링을 교체하거나 부품을 교체한다.

과압력 배출기(릴리프 밸브)

과 압력
배출기
1.8~2bar

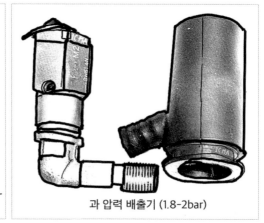

과 압력 배출기 (1.8-2bar)

[종류]

 결합 부위의 굵기에 따라 1/8, 1/4, 1/2인치 등이 있으며, 길이가 달라도 부품의
성능은 비슷하다.

[설치되는 위치]

보일러의 상부에 설치된다.

[기능]

- 보일러 히팅 시스템의 과열로 내부 압력이 높아지면 기계식 작동에 의해 스프링을 밀어올려 보일러 내부의 스팀을 보일러 외부로 배출시키는 기능을 한다. 전자식의 경우 일정 온도 이상이 되면 2way 솔레노이드 밸브가 열려서 스팀을 배출시킨다.
- 일반적으로 보일러의 스팀 압력은 1~1.3bar까지 사용하는데, 과압력 배출기는 1.8~2bar에서 작동된다.
- 과압력 배출기는 작동 후 작동 압력 이하가 되면, 자동으로 복귀된다.
- 보일러 내부에 급수가 계속되어 물이 만수가 될 때도 과압력 배출기를 통하여 배출된다.

[고장 증상 및 수리방법]

- 정상 압력에서 스팀이 유출될 때 → 고무패킹이 경화된 경우나 스케일 등으로 인하여 밀폐가 잘 안된 경우이므로 고무패킹을 점검하고 스케일을 제거한 후 영점을 맞춰서 사용하거나 교체 한다.
- 스팀압력이 2bar가 넘어서도 작동되지 않을때→영점을 다시 잡거나 교체한다. 그리고 보일러의 히팅 시스템을 점검한다.
- 스팀 밸브 상단부의 손잡이나 꼭지를 임의로 당겨 스팀의 유출과 부품의 정상 작동 여부를 점검할 수 있다.

과수압 밸브

[종류]

보일러와 접합 부위에 따라 1/2인치, 3/8인치, 1/8인치, 1/4인치 등이 주로 사용되며 모양은 각각 달라도 압력이 11~12bar가 넘어설 때 초과 압력을 배출하는 방식이다.

과수압밸브 (11-12bar)

[설치되는 위치]

• 그룹 헤드와 연결된 배관 배수구쪽에 설치된다.
• 각 그룹 헤드마다 독립되어 부착된 방식(스피릿, 라마르조코)이 있고, 하나로 통합된 방식(아피아, 가찌아, 프로맥, 산레모 등)이 있다.

[기능]

• 그룹 헤드의 물이 가열되면서 공기와 함께 급격하게 팽창될 때 수압을 12bar 이내로 유지시켜 준다.
• 스프링 압력에 의해 초과된 압력을 배출시키는 방식이다.

[고장 증상 및 수리방법]

• 추출 시 유량이 맞지 않을 때는 역류 방지밸브의 고장이거나 과수압 밸브의 고장일수 있다. → 수리하거나 교체한다.
• 추출 시 누수가 되는 경우 → 과수압 밸브의 압력을 조정한다.
• 대기상태에서 누수가 많이 될 때 → 수리하거나 교체한다.
※ 대기상태에서 과수압 밸브로 물이 많이 누수가 될 때 유량계는 그 누수를 감지하여 On/Off 신호를 메인보드로 지속적으로 보내게 된다. 이때 메인보드의 일부 부품의 과부하로 인하여 2~3시간 이후 메인보드가 다운된다. 터치 버튼도 작동이 안되고 커피 머신의 반응이 없어진다. → 과수압 밸브를 수리하거나 교체한다.
• 과수압 밸브로 과압력이 배출되지 않을 때 → 과수압 밸브를 분해하여 스케일을 제거 및 수리 하거나 교체한다(11~12bar의 영점조정이 필요하다).

과열 방지기

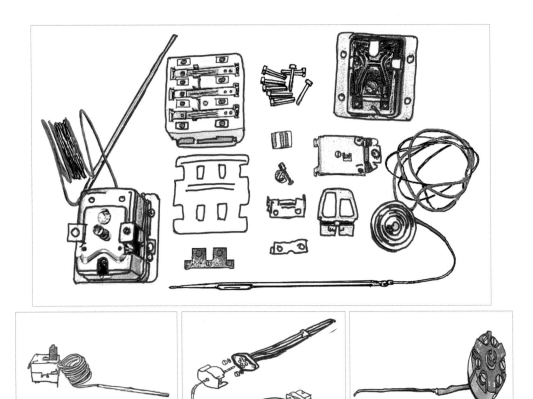

[설치되는 위치와 종류]

- 보일러 상부 감지형 : 주로 단추형 2핀, 4핀(라마르조코, 가찌아 등)
- 보일러 내부 감지형(매립형) : 보일러 내부로 감온통을 삽입하여 온도를 감지하는 방식이며, 2 핀, 4핀, 6핀이 사용된다(일반적인 커피 머신).
- 히팅 코일 부근 감지형 : 히팅 코일이 설치된 부근의 보일러 외부를 감지하는 방식이다. 주로 단추형 2핀(아피아 등)이 사용된다.

〈보일러 내부 삽입형〉

20~200°C 온도릴레이

125°C 훼마 란실리오

126°C 6P

155°C BFC

160°C 8P 3상

160°C 공용 6P

160°C 2P

165°C 까리마리

165°C 프로맥 란실리오

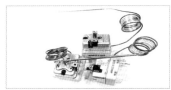

169°C 레네카 라심발리 아소카소
피오렌자또 등 대부분 머신

169°C M29

169°C 란실리오 라심발리 2P

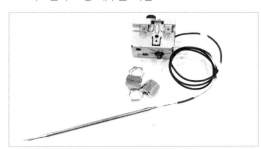

169°C 웨가 카사디오 란실리오

라마르조코 클래식 온도센서 압력 마이크로 스위치

〈보일러 외부 부착형〉

| 90°C 온도 바이메탈 T200 | 95°C 온도 바이메탈 | 98°C 가찌아 그룹 헤드 |

125°C 라마르조코   127°C 라마르조코   130°C 비비엠

135°C 산레모 1   135°C 산레모 2   138°C 수동 복귀형

140°C 나사형 자동 복귀형   140°C 아르두이노   145°C 나사 수동복귀 달라코르테

145°C 나사형 수동 복귀형

160°C 수동 복귀형

[기능]

• 과열이 되었을 때 과열을 감지하여 전원을 차단하는 장치이다.
• 커피 머신에서는 수동 복귀형이 사용된다.
  ※자동 복귀형은 바이메탈로서 일정 온도를 유지하기 위한 것이다. 그러므로 과열
  방지기로 사용하기 어렵다.

[고장 증상 및 수리방법]

• 압력스위치의 고장으로 전원이 계속 공급될 때 과열방지기가 전원을 차단한다.
  → 압력스위치의 수리 및 교체 후 과열방지기를 수동 복귀시킨다.
• 메인보드, 2way 솔레노이드 밸브의 고장과 정수기 필터의 막힘, 스케일로 배관 막힘,
  단수로 인해 급수가 되지않아 온도가 과상승 되었을 때 전원을 차단한다.
  → 고장원인을 찾아 수리한 후 과열방지기를 수동 복귀시킨다.
• 수동 복귀가 되지 않을 때는 부품을 수리하여 영점을 다시 잡아주거나 부품을 교체
  한다.

수면계

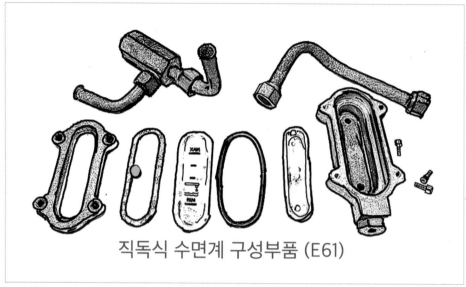

직독식 수면계 구성부품 (E61)

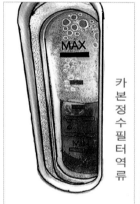

카본정수필터역류

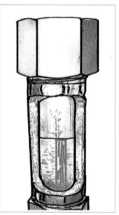

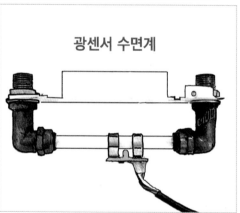

광센서 수면계

[종류]

•수면계가 있는 커피 머신
 ①막대관형
    ㉠유리관: 맑고 투명하지만 깨지기 쉽다(라스파지알레, 산레모, 아피아 등).

ⓛ테프론관: 유리관에 비해 투명도가 떨어지지만 열에 강하고 파손율이 적다.
(란실리오, BFC 등)

②원형: 원형 강화유리창(라마르조코)

③타원형: 내열 플라스틱판(훼마 E61)

•수면계가 없는 커피머신: 램프 점멸 색상에 따라 전원공급, 급수 및 히팅 상태를
확인할 수 있다. 보일러의 급수 및 히팅 상태를 액정 표시판을 통해 보여준다.

①램프: 까리마리, 로켓 미랜드, 이베리탈 IB7, 웨가, 달라코르테, 훼마 E98

②액정: BFC 갈릴레오, 라심발리 M39

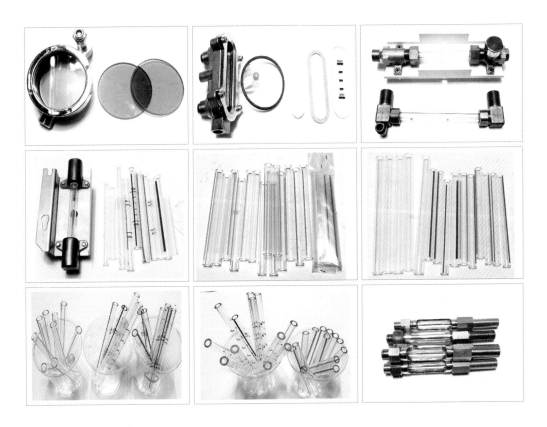

[설치되는 위치]

수면계는 일반적으로 보일러와 같은 높이(상부와 하부)에 위치하도록 전면 왼쪽이
나 오른쪽에 설치된다. 그러나 램프형은 일반적으로 앞 판넬 하부에 위치하는 경우
가 많고, 액정형은 일반적으로 앞 판넬 상부 중앙에 위치하는 경우가 많다.

[기능]

- 보일러 내부의 수위를 직접 눈으로 측정할 수 있으며, 보이는 물의 높이와 보일러의 물의 높이가 일치한다.
- 이러한 측정을 통하여 수위를 조절하며 적정량의 물을 공급할 수 있다.
- 수면계가 없는 경우 보일러의 물높이는 수위감지봉 센서에 의해 전기적인 신호로 전환되어 액정이나 램프로 표시된다. 또한 스팀 밸브를 열어 물과 스팀이 나오는 양을 보고 수위를 조절할 수도 있다.

[관리 방법]

- 유리관 수면계는 조립 시 깨지기 쉬우므로 세심한 주의가 필요하다. 유리로 된 수면계를 테프론 재질로 교체하면 이러한 위험 요인으로부터 벗어날 수도 있지만 투명도는 유리관에 비해 떨어진다.
- 강화유리로 된 원형 수면계는 분해하기가 어렵다. 정확한 연장과 규정된 토크를 사용하여 매우 조심스럽게 분해 및 조립을 해야 한다.
- 타원형으로 된 수면계는 내열 플라스틱으로 되어 있기 때문에, 조립 시 내부에 정확한 규격의 오링과 지지판을 사용하여 조립해야 한다.
- 램프형은 규격에 맞는 전원의 램프(대부분 220V)로 교체한다.
- 액정식은 표시가 안 되거나 액정이 고장 난 경우 통신 잭의 단락이나 접촉을 확인하고 액정을 교체한다.

냉온 믹싱 밸브

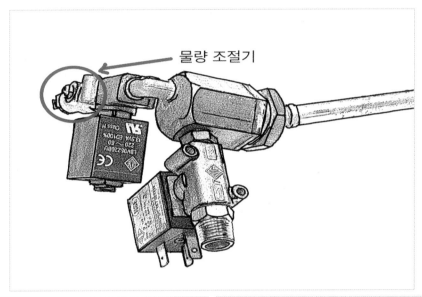

물량 조절기

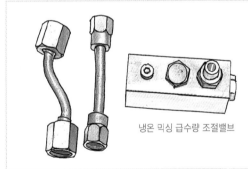

냉온 믹싱 급수량 조절밸브

냉온믹싱 밸브 냉수량 조절기

[종류]

• 일체형: 냉수와 온수장치가 하나로 되어 있는 형태(란실리오, 프로맥, SM 등)
• 개별형: 냉수 쪽과 온수 쪽이 따로 분리되어 있는 형태(대부분의 커피머신)

[설치되는 위치]

• 온수 밸브는 온수 출구 이전에 설치한다.

• 냉수 밸브는 보일러의 급수라인과 온수 밸브 사이에 설치한다.

• 일체형인 경우는 온수 출구 이전에 설치한다.

• 참고로 냉온 믹싱장치와 밀접한 관계가 있는 역류방지밸브는 일반적으로 보일러와
  냉온 믹싱 밸브 사이에 설치한다(역류방지밸브가 없는 머신: 아피아 등).

[기능]

• 보일러 온수가 추출될 때, 와류현상으로 온수가 스팀과 함께 추출되므로 화상 위험과
  함께 커피 맛에 좋지 않은 영향을 주는데 이것을 방지하기 위해 온도를 낮춰주는
  장치이다.

• 과열된 온수에 약간의 냉수를 섞어주기 위해 일반적으로 커피머신에는 2way 솔레
  노이드 밸브가 사용되고, 냉수 쪽 2way 솔레노이드 밸브에 물의 양을 조절할 수

있는 수동 밸브를 부착하여 온도를 조정한다.

　※냉온 믹싱장치가 들어가는 커피 머신에서는 온수 쪽 라인에 역류방지밸브(체크
　　밸브)를 부착하여 보일러에 냉수가 유입되는 것을 막아주는 것이 좋다.

[고장 증상과 수리]

•온수가 나오지 않는 경우
　①보일러가 히팅이 안 된 경우
　　→히팅 장치(히터, 압력 스위치, 마그네틱, 과열방지기 등)를 점검하여 수리한다.
　②온수 쪽 2way 솔레노이드 밸브 고장
　　→2way 솔레노이드 밸브 코일, 유동추, 스케일 등의 고장 유무를 확인하여 수리
　　　하거나 교체한다.
　③스케일로 온수 밸브 팁이 막혀 온수가 나오지 않을 경우
　　　→온수 밸브 팁의 스케일을 제거하거나 교체한다.
•온수가 계속 나오거나 온수가 누수가 되는 경우
　①스케일로 인한 유동추의 밀폐력이 저하되었다.
　②온수 유동추의 밀폐 부품의 마모로 인하여 밀폐력이 저하되어 생기는 현상
　※수리: 스케일을 제거하거나 2way 솔레노이드 밸브를 교체한다.
•급수 2way 솔레노이드 밸브가 작동하지 않는데 보일러로 냉수가 유입되는 경우
　①냉수 쪽 2way 솔레노이드 밸브의 스케일로 인하여 보일러에 물이 차오르는 현상
　②역류방지밸브의 고장으로 인해 냉수가 유입되는 경우
　　→냉온 믹싱 밸브의 냉수 쪽 밸브를 잠그거나 부품을 교체한다.
•온수를 연속해서 추출한 경우 머신 온도가 저하되고 스팀이 나오지 않는 경우가
　있는데 이 경우는 정상이므로 잠시 기다려야 한다.

압력 게이지

압력 게이지

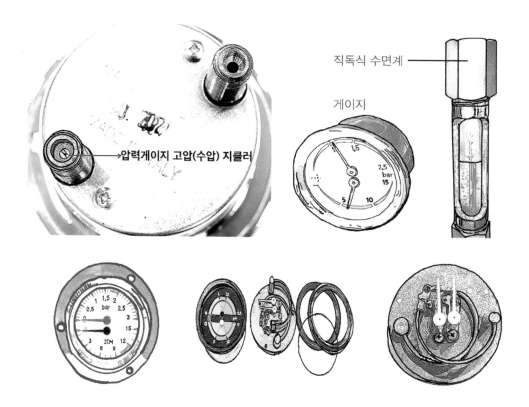

직독식 수면계

게이지

압력게이지 고압(수압) 지클러

[종류]

- 스팀과 급수가 각각 하나인 분리형 압력 게이지와 스팀과 급수가 하나로 통합된 일체형 압력 게이지가 있다.
- 스팀 압력 게이지는 보일러의 내부 스팀 압력을 감지하고, 급수 압력 게이지는 펌프 헤드 이후와 역류방지밸브 사이 또는 그룹 헤드(커피 보일러)의 측정방식이 있다.
- 스팀 압력 게이지에는 저압(0~3bar)의 굵은 배관이 사용되고, 급수 압력 게이지에는 고압(0~20bar)의 구경이 작은 배관이 사용되며, 바늘의 떨림을 방지하기 위해 지클 러가 사용된다(압력 게이지 급수 쪽 연결부위 내부에 지클러가 설치된다).

[설치되는 위치]

•스팀 압력 게이지: 1~1.3bar(히팅 완료 시 작동 압력)
 압력 게이지는 스팀 보일러 상부에 설치하며, 물의 유입을 방지하기 위해 배관을 스프링 코일처럼 길게 제작하여 부착한다.
•급수 압력 게이지: 8~10bar(펌프 작동 시 표준 압력)
 ①펌프 헤드 이후 설치: 현재 대기 수압을 표시한다. 구경이 작은 배관을 사용하고 게이지 감지부에 지클러를 두어 순간 압력이 많이 전달되어 발생할 수 있는 게이지 떨림 현상을 방지한다.
 ②그룹 헤드 배관 설치: 그룹 헤드와 커피 보일러의 압력을 표시한다. 구경이 작은 배관을 사용하며 대기 수압이 그룹 헤드 내부 수압과 일치한다. 대기 수압이 높을 때는 12~15bar까지 표시된다(라마르조코, 가찌아, 세코, 까리마리 등).

[기능]

표시 창을 통하여 현재의 압력상태를 확인시켜 준다.
•전자식: 각종 압력을 전자적인 저항 값을 이용하여 디지털로 표시한다.
•기계식: 현재의 압력을 스프링의 장력에 의해 게이지 바늘을 통하여 아날로그로 표시한다.

[고장 증상과 수리]

• 영점이 맞지 않을 때→영점을 맞추어 고정하거나 게이지를 교체한다.
• 커피머신이 동파되어 게이지의 대기 영점이 지나치게 올라가거나 게이지 안의 압력
  관이 파손되어 게이지로 스팀이나 물이 누수가 될때
  →저온 용접 밀폐 후 게이지 바늘을 다시 영점을 잡아주거나 교체한다.
• 게이지 바늘의 이탈과 게이지 바늘만 영점이 달라졌을 때
  →앞판을 제거하여 게이지 바늘을 고정시킨 후 영점을 잡는다.

〈동파 사례〉

온수 라인

[종류]

- 냉온 믹싱밸브가 있는 온수 라인
  보일러측의 온수와 급수측의 냉수를 서로 믹싱하여 적정온도로 만들어 배출하는
  방식이다. 수동 손잡이 밸브를 이용하거나 버튼을 사용하여 전자밸브로 제어가 되며
  냉수측은 조절밸브나 지클러에 의해서 수량이 조절된다.
- 보일러에만 연결된 온수라인
  수동 손잡이 밸브나 버튼으로 조절되며 온수 추출 시 블랙홀 현상으로 인하여 스팀이
  함께 추출된다.

 스팀 압력으로 추출되기 때문에 히팅이 되기 전에는 온수가 나오지 않는다.

[설치되는 위치]

- 보일러의 상부에 위치된 경우 보일러 수면 아래로 배관이 되어 있으므로 분해 및
  조립 시 분실 및 파손에 주의해야 한다.
- 보일러 중하부에 설치된 경우 분해 조립 시 배관 및 보일러 스케일을 점검한다.

[기능]

보일러의 온수를 추출구까지 적정한 온도로 만들어 내보낸다.
※최근 별도의 온수기를 사용하여 일정한 온도의 물을 공급받을 수 있으므로 커피
  머신의 온수 기능은 머신 청소용으로 많이 사용되고 있다.

[고장 증상과 수리]

• 주로 온수 토출구에 스케일이 생겨서 막히는 경우가 많으므로 식초, 스케일 제거제
  등을 이용하여 스케일을 제거할 수 있다.
• 누수가 되는 경우 냉온 믹싱밸브나 2way 솔레노이드 밸브 쪽의 스케일을 제거한다.
• 고무패킹이나 오링 등의 경화로 인한 경우 해당 부품을 교체한다.

스팀라인

스팀 라인

[종류]

- 온도 제어 방식: 보일러 상부의 스팀을 온도 감지기 및 전자밸브를 사용하여 일정 온도의 우유 거품을 만들거나 원하는 온도로 우유를 데울 수 있다.
- 밸브 제어 방식: 2way 솔레노이드 밸브를 사용해서 제어하나 스팀의 강약은 스팀 라인에 설치된 중간 밸브를 사용하여 조절한다(스피릿은 전자 제어이지만 중간에 수동 밸브를 이용하여 강약을 조절할 수 있다).
- 수동 밸브 제어 방식: 핸들식과 레버식이 있으며 수동으로 스팀의 강약을 조절한다. 스팀 온도는 온도계를 사용하여 조절하거나 압력의 조절을 통하여 조절하며 바리스타의 감각에 따라 조절된다.

[설치되는 위치]

- 대부분 보일러의 상부에 위치되어 있다.
- 보일러 옆면에 설치되어 있는 경우 물의 온도와 압력차이로 인하여 보일러 쪽 배관 입구에 스케일이 많이 생긴다.

[기능]

- 보일러의 스팀을 팁까지 스팀의 손실 없이 내보낸다.

※스팀라인은 보일러 상부에 최단거리로 설치되어 스팀의 손실을 최소화한다.

[고장 증상과 수리]

• 스팀 배출 시 물이 나오는 경우 최초에 나오는 응축수는 충분히 제거한다.
• 보일러에 물이 가득 찬 경우 스팀밸브를 따라서 물이 나올 수 있다. 이때는 보일러의 급수기능을 확인해야 한다.
• 스팀 누증이 발생한 경우 오링이나 고무패킹, 밸브 등을 점검하고 수리하거나 교체한다.
• 스팀 팁에 유지방과 스케일 등으로 인해 이물질이 생기므로 자주 청소해 주어야 한다.

〈청소 불량 사례〉

※어느 카페 – 청결하고 좋은 식음료를 공급하기 위한 준비가 되어 있지 않음.
여자 사장님께 커피머신 청소를 권장했으나, 청소도 하지 않고 고객에게 메뉴를 내보는 것을 보고 민망했습니다. 두번이나 커피머신 점검 출장을 간 나 자신이 부끄러워서 폐업을 권장하였고 다행히 폐업하셨습니다.

제5장 커피 머신의 설치

전기

급수/배수

테스트와 참고사항

커피커신의 설치

전기

[필요 전원]

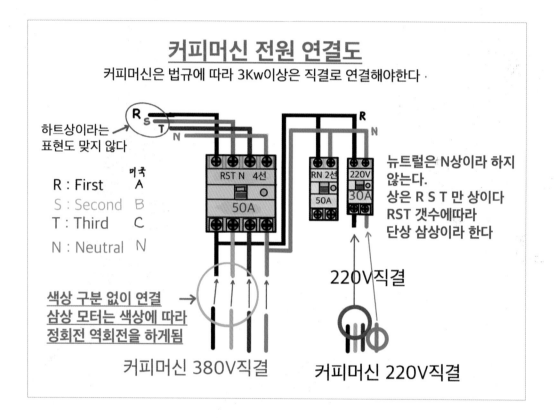

커피머신 전원 연결도

커피머신은 법규에 따라 3Kw이상은 직결로 연결해야한다·

하트상이라는 표현도 맞지 않다

R : First A
S : Second B
T : Third C
N : Neutral N

뉴트럴은 N상이라 하지 않는다.
상은 R S T 만 상이다
RST 갯수에따라
단상 삼상이라 한다

220V직결

색상 구분 없이 연결
삼상 모터는 색상에 따라
정회전 역회전을 하게됨

커피머신 380V직결   커피머신 220V직결

•공급 전원
380V: 3상(R, S, T)+중성선(N)+접지(E)→5선식
220V: 단상 380V(P)+중성선(N)+접지(E)→3선식
110V: 단상 220V(P)+중성선(N)+접지(E)→3선식(미국, 일본)
•머신 쪽 전원
380V: 3상(R, S, T)+중성선(N)+접지(E)→5선식
220V: 단상+접지(E)+갈색→4선식
220V: 단상+접지(E)→3선식

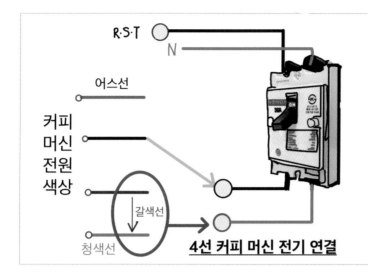

R·S·T

N

어스선

커피
머신
전원
색상

갈색선

청색선

4선 커피 머신 전기 연결

- 라마르조코 단상 연결 시 히팅이 약하거나 안될 때 → 내부에서 오렌지색을 찾아 N선에 연결해야 한다.
- 220V 단상 4선식 커피 머신 전기선 연결 방식 → 라스파지알레 4선식은 갈색을 찾아 N선과 연결해야 한다.

주의사항

380V 커피 머신을 220V 단상에 설치할 경우는 히팅 코일을 220V로 회로 변경하거나 220V 전용 히팅 코일로 교체한다(라마르조코).

[전원공급선과 커피 머신측의 전원 연결방법]

•차단기에 직접 연결한다. → 2그룹 이상의 커피 머신(380V 3상 5선식, 220V 단상 3선식).

•콘센트에 연결한다(주로 220V 단상 3선식).

※ 220V 3kW 이상의 전열기구 설치시 메인전선에서 직접 연결을 권장한다. 그러므로 커피 머신에서는 직결로 연결하기 바란다. (콘센트 사용금지)

•전기선 절단과 연결 시 주의 사항

①3상 5선식 전선을 연결할 때는 E(접지선), N(중성선), R상(활선), S상(활선), T상(활선) 순서로 연결한다.

②3상 5선식 전선을 절단할 때는 R상(활선), S상(활선), T상(활선), N(중성선), E(어스선) 순서로 절단한다.

※ 만일 N(중성선)을 먼저 절단하게 되면 전기적인 이상이 발생할 수 있다. 차단기를 내리고 작업하면 안전하게 작업할 수 있다.

[기능]

커피 머신의 전원을 공급하고 커피 머신의 히팅에 관여한다.
[예외] 가스식 에스프레소 머신의 경우는 부탄가스, LPG, LNG 등을 사용하여
    히팅을 제어한다.

[커피 머신 전원 작동 시 주의 사항]

• 커피 머신쪽 N선(대부분 청색)은 전원공급쪽 N선과 일치시킨다. (검전기를 사용
  하여 N선을 연결한다.)
• 콘센트를 사용할 때도 커피 머신과 N선(중성선)의 위치를 검전기로 점검하여 반
  드시 일치시킨다.
• N선과 활선의 연결이 바뀐 경우 커피 머신이 정상적으로 작동하는 것 같지만, 각
  전원부에 활선의 전원이 공급됨으로써 머신의 고장률이 높아진다.
※ 업소용 커피 머신 기타 장비들은 활선을 통제하는 방식이다.

[커피 머신 전원공급에 관여하는 부품들]

• 배전반   • 누전차단기와 배선용 차단기
• 콘센트   • 연결 단자
• 직결식

[고장 증상과 수리]

• 활선, N선, 갈색선, 접지선(어스선)의 4선식에서 N선을 단독 처리했을 때 히팅이
  안 되는 경우 → 갈색선을 N선과 함께 결속한다(라스파지알레 등).
• 결선을 마친 후 검전기를 이용하여 활선의 결속상태를 점검하고 커피머신을 켜거나
  껐을 때 활선이 감지되지 않도록 한다.
• 커피머신 쪽 3상 5선식 선을 220V 단상에 결속했을 때 모든 것이 정상적으로 작동
  되지만 히팅이 되지 않는 경우 → 머신 내부에서 주황색 선을 찾아 N선에 결속한다
  (라마르조코 일부 머신).

•차단기에 의해 전원이 차단될 때
①전원 인가 후 누전 차단기가 바로 작동될 때 커피머신 히팅코일 쪽 누전을 확인한다.
②히팅이 지속되는 중 누전 차단기가 작동되는 경우
    →차단기의 용량 및 배선의 굵기를 확인한다.
•커피머신의 전원이 들어오지 않을 때
①차단기 자체 불량
②커피머신 메인 전원 스위치 불량
③직결인 경우 배선의 단락으로 전원공급이 안 됨.
※두 선 중 한 선이 단락된 경우 메인보드에서 110V 전원이 테스터기에 나타날 수 있다.
④차단기 배선의 불량
⑤머신의 누전으로 인하여 차단기가 작동될 때
•커피머신의 전원은 들어오나 작동이 진행되지 않을 때
①과열 차단이 되었을 때→과열방지기를 점검한 후 수동 복귀시킨다.
②메인보드의 불량→메인보드 퓨즈 점검, 수리 및 교체
③물이 급수되지 않을 때→급수 배관 스케일 점검과 수도밸브 및 정수 필터 점검
④커피머신 일부 부품들의 불량→2way 솔레노이드 밸브 급수 점검, 수리 및 교체

〈배전반〉

  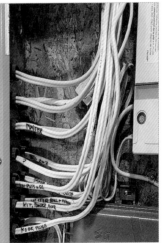

〈전기배선 결속 불량으로 인한 과열 사례〉

[커피 머신 그룹별 전기용량(브랜드, 모델별로 차이가 날 수 있다)]

번호	구 분	1그룹	2그룹	3그룹
1	전기전력	1.8~3kW	3~10kW	4~11kW
2	전압	220 단상 / 380V 3상 5선식		
3	적정 차단기(A)	20A	30~50A	30~70A
4	전기선 굵기	용량에 따라 전기선 굵기를 여유있게 사용한다.		

급수, 배수

[급수]

• 취수하는 물과 적합한 정수 필터를 사용하여 커피머신에 물을 공급한다.
• 커피머신 상용 압력(3~4bar)에 맞추어 가압펌프를 설치하거나 감압밸브를 설치
  한다.
• 커피머신 급수 전 배관과 정수기 필터의 공기와 물을 빼준 뒤 커피머신의 수동 급수
  밸브를 작동하여 보일러의 약 40%~50%의 물 공급을 실시한다.
• 전원을 On시켜 자동급수로 전환한다.
• 급수가 완료된 후 보일러가 히팅 될 때 열교환기와 그룹 헤드의 공기를 제거한다.
• 히팅이 완료되면 펌프 압력, 스팀 압력, 추출 압력 등을 정상 범위로 조정한다.

[배수]

• 배수라인은 경사각을 잘 맞추고 최단 거리로 배관하여 배수시킨다.
• 배수가 원활하지 않은 경우 배수용 물받이 물통을 사용한다.
• 배수라인, 급수라인, 전원선 등은 설치후 밖에서 보이지 않도록 기계하부에 천공
  한다.
• 사용 중 배수라인이 막힌 경우 실리콘 호스를 스팀봉에 끼워 넣은 후 배수라인에
  맞춰서 스팀을 열어 배수라인을 뚫어주고 청소한다.

테스트와 참고사항

[설치 연결 테스트(압력 조정 포함)]

- 커피 추출 시 펌프 압력을 9bar로 조정한다. (펌프압력조절밸브를 시계방향으로 돌리면 압력이 증가하고, 시계 반대 방향으로 돌리면 압력이 감소한다.)
- 스팀 압력을 1~1.3bar에서 조정한다. 일반적인 커피머신은 1~1.1bar이고, 마이웨이, 도사트론 등은 1.3bar 사이에서 조정한다.
- 지클러 막힘 확인을 위해 각 그룹 헤드별로 물량이 일정하게 나오는지 확인한다.
- 터치 버튼 동작과 유량계 고장 유무를 확인하기 위해 각 버튼별 물량을 입력한 후 추출속도를 점검한다.
- 그라인더의 영점을 맞추고 커피를 분쇄하여 적정량을 투입한 뒤 커피 추출 테스트를 한다.
- 자동 청소 기능과 수동 기능을 실시하여 이상 유무를 확인한다.
- 각종 급수배관의 압력과 누수상태, 커피 추출 작동상태, 배수와 물받이통 배수 라인 등의 전체적인 이상 유무를 확인한다.

[설비 및 설치 전 참고사항]

- 바 테이블의 폭은 600~700mm, 표준높이는 650mm~850mm를 사용한다. 작업대의 표준높이는 850mm로 한다.
- 설치되어야 하는 장비(커피머신, 냉동냉장 테이블, 제빙기 등의 각종 장비)들의 설치 위치와 전력소모, 급수, 배수, 정수기 여부 등을 정확하게 설계한 뒤 인테리어 설비를 한다.
- 급식과 퇴식의 동선을 고려하여 머신 등의 장비를 효율적으로 배치한다.

제6장 커피머신의 관리

커피머신 청소 관리

물과 정수필터

스케일

튜닝

커피머신의 동파

커피머신 청소 관리

[커피머신 청소 관리]

[클리닝(청소)]

•자동 클리닝(백 플러싱 청소): 다음날 바로 사용할 수 있도록 마감 후 매일 청소한다 (블라인드 필터에 약품을 넣고 자동세척 기능을 이용하여 청소한다. 청소 후 깨끗한 물을 이용하여 약품 없이 한번 더 세척한다).

①대부분의 머신은 터치 버튼의 5번(프로그램 버튼)+1번(메뉴 버튼)을 동시에 눌러 자동 클리닝을 실시한다. →2회 반복(1회-약품 넣고/2회-약품 없이)

②전원을 끄고 2번+3번을 동시에 누른 후 전원을 켠다(아피아→그룹별 정중앙 버튼에 불이 들어온다.→ 정중앙 버튼을 누르면 클리닝이 시작된다. 끝나면 버튼을 한 번 더 눌러 클리닝을 마감한다).

※모든 클리닝을 2회 반복하여 마쳐야 한다. 중간에 멈추거나 전원을 껐다 켰더라도 클리닝 작업을 다시 실시하여 클리닝 작업을 모두 완료해야 한다(아피아 머신).

•수동 클리닝: 자동 청소 기능이 없는 머신이나 청소 기능이 복잡한 머신은 수동으로 청소할 수 있다. 포터필터에 블라인더와 약품을 넣고 각 버튼을 10~15초 누른 후

다시 꺼주고 3~5초 후 다른 버튼을 눌러서 10~15초 누른 후 꺼주기를 각 버튼별로 반복한다. 약 5회 클리닝을 실시한 후 깨끗한 물을 흘려보내고 다시 약품 없이 이 과정을 반복한다.

> 🔍 터치 버튼을 골고루 사용하는 것은 버튼 한 개만을 사용하여 피로도를 누적시키지 않기 위한 것이며, 각 버튼의 수명을 연장하기 위한 것이다.

- 그룹 헤드 청소: 청소 솔, 행주, 송곳, 드라이버 등을 이용하여 그룹 헤드의 개스킷과 샤워망을 분해하여 청소한다.
※나사산의 마모와 개스킷의 파손에 주의한다.
- 스팀 압력 및 물 급수 상태 점검: 스팀 압력계 및 수압 게이지 상태를 보고 압력을 점검하거나 조정한다.
- 개스킷 샤워망
 ① 개스킷 샤워망의 교환은 전원을 끈 상태에서 실행한다.
 ② 나사산의 마모에 주의한다.
 ③ 송곳, 드라이버, 육각렌치 등을 이용하여 분해한 뒤 청소 솔을 이용하여 샤워망 내부를 깨끗하게 청소하고 다시 조립한다.
- 스팀 노즐 청소: 스팀 후 우유 등이 스팀 노즐로 역류되면 우유 찌꺼기가 경화되어 노즐을 막고 냄새가 난다. →스팀 팁을 분해하여 막힌 곳을 뚫어주고 깨끗이 청소한다. →우유 세정제를 사용하여 청소하면 쉽게 청소할 수 있다.
- 포터필터 청소: 커피 청소 세정제, 부드러운 솔, 스펀지, 드라이버 등을 이용하여 청소한다.
- 외장 케이스 청소: 부드러운 스펀지나 융을 이용하여 청결을 유지한다.
※스텐 밀러판이나 크롬 도금판은 거친 수세미 사용을 금지한다.
- 하부 배수판 청소
 ① 청소를 위해 배수판을 움직일 때는 하부에 물이 쏟아지지 않도록 주의한다.
 ② 배수판 등에 찌꺼기 등이 고여 있지 않도록 깨끗하게 청소한다.
 ③ 배수판의 물이 한쪽으로 쏠리는 경우는 배수판의 수평을 잘 맞춰주어야 한다.
- 하부 배수통 청소: 배수통 막힘에 주의해야 하며, 물이 잘 빠지지 않는 경우 실리콘호스를 이용하여 스팀으로 청소한다. 또한 에어 컴프레서를 이용해서 청소할 수 있다.

정수필터

물과 정수필터

[물(H_2O)]

생명활동에 필수적인 물은 장비의 수명과 커피 맛에 많은 영향을 끼치므로 물의 관리는 매우 중요하다.

원수→매장→연 정수기→커피 머신과 기타 장비

•원수

①지하수: 보통 지하수는 연수기와 정수기 사용을 권장한다.

②상수도: 한국의 수돗물은 스케일 생성이 적고 품질이 좋은 편이다.

③생수(광천수): 경수가 많아서 차량 카페 등 생수를 사용하는 머신은 스케일 생성에 주의해야 한다.

※연수(단물): 빗물, 강물, 한국의 수돗물도 연수에 가깝다.

※경수(센물): 지하수, 광천수

〈경 도 표〉

분류	경도(PPM)
Soft(연수)	0 ~ 60
Moderately soft	60 ~ 120
Moderately hard	120 ~ 180
Hard(경수)	180 이상

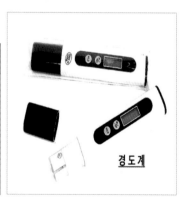
경도계

•다른 부품들과의 상관관계

①감압변: 수압이 너무 높은 경우 감압변을 사용하여 압력을 낮춰준다(2~4bar 정도).

②체크밸브: 역류방지를 위하여 배관 쪽에 체크밸브를 부착한다.

③가압 펌프: 수압이 너무 낮거나 무압인 경우 가압펌프를 사용한다.

④압력탱크: 가압 펌프의 잦은 동작으로 인해 과열 및 심한 고장으로부터 가압 펌프를

보호하기 위해 압력 탱크를 보조로 사용한다(무압에서부터 3~6bar까지 끌어 올릴 수 있는 장치).

⑤배관의 굵기: 수량을 풍부하게 하기 위해 굵은 배관 사용을 권장한다(커피머신 배관 3/8인치, 수도배관 1/2인치 이상).

⑥누수로 인한 침수 피해, 누전 등을 방지하기 위해 배관의 결속을 철저히 한다.

⑦부품을 조이거나 부착할 때 적당한 토크로 부품 조립을 잘해야 한다.

⑧각종 수도 연결부품은 신뢰 있는 회사 제품을 사용해야 하고, 녹과 부식을 방지 하기 위해 비철 재질의 사용을 권장한다.

〈가압 펌프와 압력 탱크〉

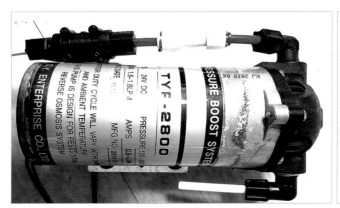

[정수 필터]

•종류 및 기능

①세디먼트(침전 필터): 물에 섞인 녹과 부유물, 이물질 등을 걸러준다(0.5~1μm).

②카본: 탄소 성분의 활성탄을 이용하여 블록 카본과 가루 카본으로 제작되어 염소 제거와 정수 역할을 한다. 흡착 필터라고 불리기도 한다.

③멤브레인 필터

　　㉠중공사막 방식: 가늘게 실을 뽑을 때 가운데 공간이 생기는데, 여기에 물을 통과시켜서 이물질, 세균 등을 걸러내는 방식

　　㉡역삼투압 방식: 물을 가압하여 역삼투압 방식으로 물을 통과시키는데, 물의 소모가 많으며 물의 품질에 대하여 논란이 많다.

④자화육각수 방식: 영구자석을 이용하여 순간적으로 물을 정렬시켜서 스케일을 방지할 수 있다(엑스포바 커피머신).

⑤이온교환수지: 양이온 수지에 음이온의 칼슘($Ca+$)과 마그네슘($Mg2-$)이 결합하여 연수를 만든다. $NACl$(소금)을 이용하여 양이온교환수지를 재생할 수 있다.

⑥복합 필터: 세디먼트, 카본, 인산염, 이온교환수지 등을 복합적으로 사용하여 만든 필터로 제조사마다 함량과 성분이 각각 다르며 보통 연수 기능이 있는 경우 세디먼트+카본(20%)+연수(80%)를 사용한다(옴니퓨어, 브리타). 블록 카본인 경우 부직포+블록 카본(파라곤)이나 블록 카본만을 사용하는 경우가 있고, 가루 카본인 경우 부직포+가루 카본(에버퓨어 MC2)을 사용한다. 인산염이 들어간 경우 부직포+블록 카본+인산염(3M)을 사용하고 또한 미세부직포+가루 카본+인산염(에버퓨어 MH2)을 사용한다.

•설치 순서: 세디먼트→연수기→정수기→머신

※필자는 연수기 다음에 정수필터를 사용하지만 순서를 바꿔도 된다.

보통 필터에 세디먼트 기능이 있는 경우 별도로 세디먼트를 설치하지 않는 경우도 있다.

•고장 증상과 수리 과정

①설치 시 정수기 필터를 흔들었을 때 내부에서 흔들리는 소리가 날 경우→장착하지 말고 제품을 바꿔서 사용한다(내부 블록 카본 및 연결 부위 파손으로 정수 기능 상실됨).

②연결 부위에 누수가 있는 경우→정수기 헤드를 점검한 후 이상이 없으면 필터 연결부 오링을 교체하거나 오링 부위에 테프론을 감아서 사용하거나 배관 및 필터헤드를 교체한다.

③최초 설치 시 물 흘리기를 약 20리터 이상 실시한 후 머신에 급수한다. 카본 가루나 제작과정의 이물질, 설치 시 배관 내부의 이물질 등을 흘려보낸 후 사용한다.

④설치시 정수기 필터 등에 미치는 수압을 확인한 후 수압이 높을 경우 감압변을 설치한다. 수압이 너무 높으면 흡착 및 정수 작용이 미처 따라가지 못할 수도 있다.

⑤압력이 없는 곳에는 가압펌프 및 압력탱크를 설치한다.

〈인산염이 있는 블록카본 정수 필터〉

〈정수기 동파 및 고압으로 인한 파손 사례〉

인산염이 추가된 필터	탄소 필터
EVERPURE MH2	EVERPURE MC2
PARAGON SR6	PARAGON CB6
FLUUX Scale Inhibitor Filter	FLUUX Carbon Filter
3M : HF25-MS, HF35-MS, CFS8812X-S, CFS9812X-S, HF60, HF90	3M : HF30, HF35, HF40, CS-FF, C-Complete, USF-C
OMNIPURE : ELF-5MP, ELF-10MP, ELF-1MP, ELFXL-10MP, ELF XL-5MP	OMNIPURE : ELF1M, ELF5M, ELF10M, ELF XL10M

※이온 수지가 들어간 필터

* BRITA PURITY C50, C150 등
* OMNIPURE ELF XL UXC
* EVERPURE EOS6
* 3M P124BN-T, P165BN-T

※ "인산염이 들어간 필터"는 스케일이 제거되는 필터로 알고 있는데, 이것은 필터의 원리를 정확히 이해하지 못한 데서 기인한 것이다.

〈인산염〉

스케일

스케일은 지클러 및 좁은 배관을 통과한 물이 넓은 부분에 도달할 때 압력의 편차로 인하여 형성되는데 그 모양은 모래와 같은 모양과 딱딱한 피막을 형성하여 굳어진 돌과 같은 모양이 있다. 또한 보일러의 재질, 물의 성분에 따라 다양한 색상을 가지고 있으며, 인산염이 과다 투입된 경우 밝은 색의 가루 스케일이 많이 발생한다. 스케일은 온도가 상승할수록 더 활발히 생성되고 온도에 따라 형태 및 색상이 달라진다. 그 분기점이 95~100℃이다.

1. 100℃ 이하에서 생성된 스케일은 미세한 가루 스케일이 많으며, 색상은 연한 연녹색으로 흰색에 가깝다(E61 그룹 헤드 내부 스케일)
2. 100℃ 이상에서 생성된 스케일은 딱딱하게 굳어진 돌 모양이거나 굵은 모래알과 같은 모양이 많으며, 색상은 주로 어두운 편이다.
3. 강원도 태백과 같은 지역의 지하수를 사용하는 머신의 스케일은 약간 밝은 아이보리색에 가깝고 보일러 내부에서 온도가 과열 상승으로 인한 히팅 코일 변형이나 파손과 함께 생성된 스케일은 이물질이 많이 섞여 있다.
4. 물이 없는 상태에서 히팅이 진행되는 경우 히팅 코일의 구리 부분이 녹아내리며 축적된 스케일이 연소하게 되는데, 이때 악취와 함께 발생된 스케일은 일반적인 스케일과 다르다.

[종류]

〈보일러 내부에 다양하게 형성된 스케일〉

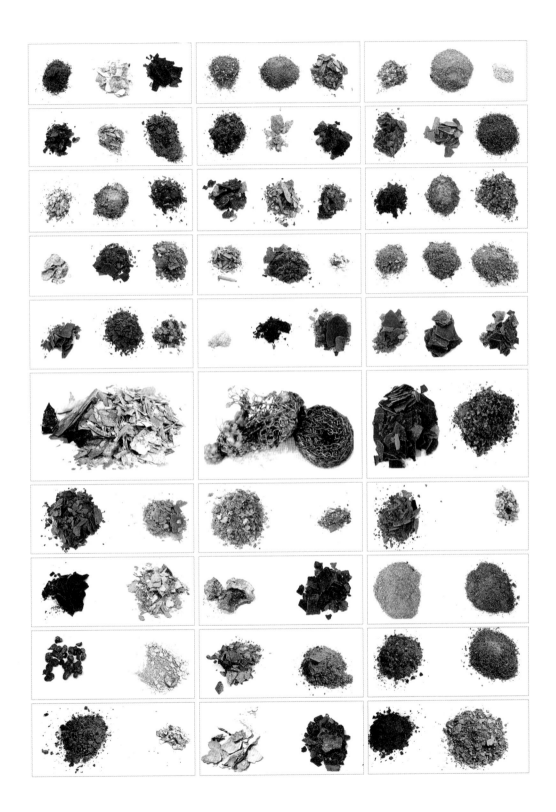

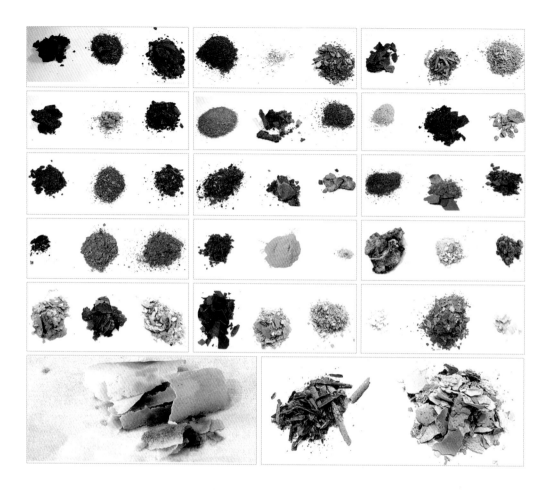

[커피머신에서 스케일이 형성되는 위치]

- 스케일은 커피머신의 배관에서 물이 흘러갈 때 좁은 지클러를 통과한 물이 넓은 부분으로 나오면서 압력이 낮아지는 부분에서 압력 편차로 발생한다(대부분의 스케일은 지클러 등을 빠른 속도로 통과한 후 갑자기 넓은 부분에 도달할 때 압력이 낮아지면서 발생한다).
- 온수 밸브를 지난 뜨거운 물이 온수 팁으로 배출될 때 압력이 낮아지면서 압력편차로 스케일이 생성된다(온수 팁 막힘).
- 2way 솔레노이드 밸브를 지나 보일러로 물이 급수될 때 배관이 스팀 부분과 연결된 부분에 스케일이 많이 생성되므로 막히는 사례가 많다(카사디오 급수배관).
- 이 문제를 보완하기 위해 아래쪽으로 급수하는 경우 스케일 발생 속도는 느려지지

만(온도 편차가 적어진다), 보일러의 입구에 스케일이 생성된다(시모넬리 아피아).

- 히팅 코일과 보일러 하부 벽면 등에는 온도의 편차로 인한 압력 편차가 클수록 스케일이 더 많이 생성된다.
- 유량계 물 공급 라인을 지나 유량계 내부로 물이 들어올 때 유량계 출구 구경이 넓어지는 부분부터 스케일이 생성되며 구경이 작은 유량계 입구 쪽으로 확장된다.

〈머신에 형성된 스케일〉

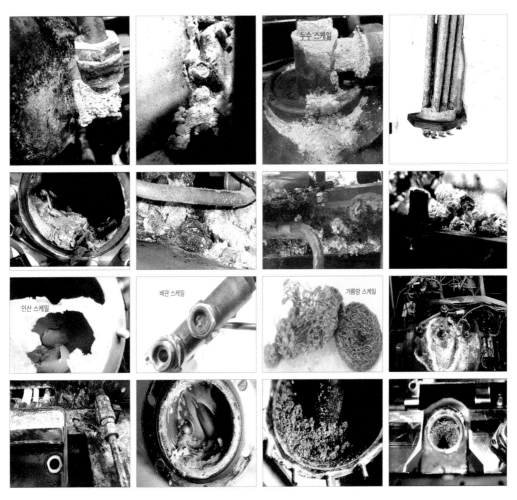

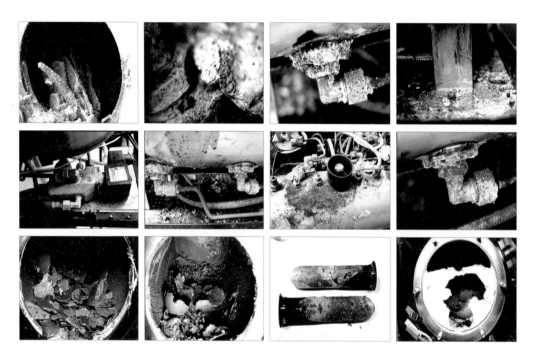

[스케일이 형성되는 위치]

물 속에 칼슘과 마그네슘 등 스케일 생성 물질이 녹아 있어 온도의 변화, 유속의 변화, 접촉물질에 따라 스케일이형성된다. 스케일은 좁은관로를 지나서 넓은공간으로 물이 나올때 압력 편차로 인해 생성된다.

[스케일로 인한 머신의 고장 증상]

- 각종 배관의 막힘
- 히팅 속도의 저하
- 부식으로 인한 누수
- 커피 머신의 수명 단축
- 히팅 시 '딱딱' 치는 듯한 소음을 유발 할 수 있다(히팅 코일의 정렬과도 관계가 있다).

[스케일을 방지하는 방법]

• 연수를 사용한다(연수 사용이 어려운 경우는 연수기를 부착한다).
• 인산염(P)이 들어가 있는 정수필터를 사용할 때, 인산염이 과다 투입될 경우 오히려 인산염 스케일이 형성된다.
• 스케일을 발생시키는 칼슘과 마그네슘의 함량에 따라 인산염을 적절하게 투입해야 하며, 불규칙적인 사용의 경우 인산염이 많이 녹아서 과다 투입될 수 있으므로 주의가 필요하다. 그러나 한국의 수돗물은 수질이 좋아서 크게 염려할 필요는 없지만 PPM 측정기를 이용하여 측정한 후 적절한 용량으로 인산염이 첨가된 정수필터를 사용할 수 있다.
※ 스케일을 방지하기 위해 이온교환수지가 들어가 있는 연수정수필터를 사용하는 것을 권한다.
※ 영구자석을 이용하여 순간적으로 형성된 자화육각수로 인하여 스케일 형성을 억제할 수 있다.

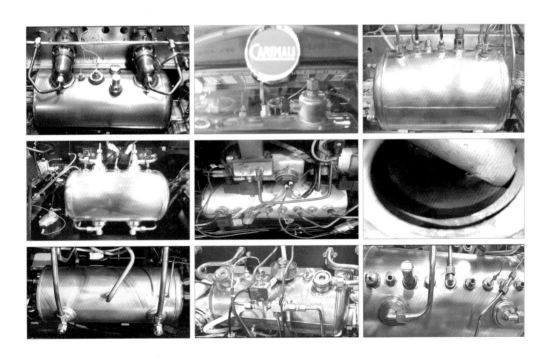

오버홀

[디스케일(오버홀)]

스케일 제거 목적은 배관과 보일러 등의 내부에 발생되는 녹, 스케일, 찌꺼기, 박테리아 생성 등 불순물이 커피 추출에 유입되어 발생되는 맛의 변화를 줄이는 데 있다. 특히 동(銅)은 동이온의 용출과 동관이 이물질이 섞인 물이나 다른 재질의 부품과의 접촉으로 부식되는 현상(청록 발생)이 발생할 수 있다.

※영구자석을 사용한 자화육각수 공급으로 청록 발생과 스케일 등을 줄일 수 있다.

• 화학적인 제거방법(산 처리 기법)

환경오염을 고려하여 최소한의 약품을 사용하고 약품 사용 후 적정량의 중화약품(알칼리성)을 이용하여 중화처리를 한다(산은 침투성이 강하므로 산 처리 작업이 끝난 후에 산을 완벽하게 제거하고 배출되는 잔여물에 대해서도 산을 중화 처리하여 수질을 보호한다).

• 샌딩(샌드블라스트) 기법

샌드블라스트 작업은 가는 모래를 작업 표면에 뿌려서 스케일과 표면의 녹 등을 제거하는 방법을 말하며, 표면처리를 하는 방법 중 매우 좋은 방법이다. 외부 케이스, 보일러 스케일 제거, 배관 청소 등을 유용하게 처리할 수 있으며 거의 신품 수준으로 복원할 수 있다.

• 물리적인 방법

①화학적인 방법으로 스케일을 제거하기 전 망치, 드라이버, 사포 등 공구를 이용한 물리적인 방법으로 굵은 스케일을 제거한다.

②공기압축기를 이용하여 고압의 공기로 분진 등을 청소한다.

③고압(100~120bar)으로 물을 분사하여 보일러 내·외부와 산 처리 후 부품들에 남아 있는 이물질을 세정한다.

튜닝

[외장 튜닝]

• 랩핑

도장면을 새것처럼 관리할 수 있기 때문에 원래 색이 싫증이 나거나 색상의 변화를 위해 랩핑을 하는 경우 각종 컬러 시트지(유광, 무광)를 이용하여 외장을 멋스럽게 바꿀 수 있으며, 외부의 오염을 방지하고 인테리어와 어울리도록 할 수 있다.

※랩핑 시 유의 사항: 표면이 테프론 코팅이 되어 있거나 굴곡이 많은 머신은 랩핑 면이 열로 인하여 들뜰 수 있으므로 랩핑보다는 도장을 선택하는 것이 좋다.

• 페인팅

유광과 무광 처리가 가능하며 락카 도장이나 분체도장을 하거나 자동차 등에 하는 열도장 등 다양한 방법에 의해 색상의 표현을 할 수 있다. 주의할 점은 도장 시 하도, 중도, 상도 처리를 하여 도장면이 잘 벗겨지거나 부식을 방지하여야 한다.

• 레이저를 이용하여 타공을 하고 타공 부위에 아크릴판과 LED를 이용하여 색상의 변화를 주거나 내부를 보이도록 연출할 수 있다. 특히 외장 케이스는 두꺼운 아크릴 판을 이용하여 내부가 보이도록 하거나 타공판을 이용하여 케이스를 튜닝하기도 한다. 내부의 보일러나 부품은 도색하여 내부가 멋지게 보이도록 할 수 있지만 오염과 누수에 주의하여야 한다.

[전기 튜닝]

직류 LED 등을 이용하여 발광되는 색상의 변화를 주는 방식

• RGB 튜닝: 단색 튜닝과는 달리 +선과 RGB 3색의 발광 전구와 컨트롤러를 사용하여 색상의 변화, 밝기, 패턴 등을 임의로 조정할 수 있다.

• 스팟 튜닝(포인트 조명 튜닝): 보통 1구의 전구를 이용하여 특정 부위를 강조하기 위해 사용한다.

• 겉판 케이스: 레이저 각인, 레이저 타공, 아크릴, LED 조명, 내부 페인팅 등을 이용하여 깔끔한 연출을 쉽게 할 수 있다.

※LED 부착 위치는 가능하면 열의 간섭이 미치지 않는 곳으로 하고 부착 후 빛이 도달하는 곳에 장애물이 없도록 한다. 장시간 사용 중 열로 인해 경화되거나 부착 부위가 이탈이 되지 않도록 한다.

[부품 튜닝]

• 개별 버튼 색상 변경: 개별 버튼마다 LED등이 있어 색상이 표시될 때 작은 LED 등을 바꾸어 줌으로써 버튼마다 색상을 변화시킬 수 있다. 주로 하얀색과 청색, 녹색을 사용하지만 등을 바꾸면 핑크색, 적색, 노란색 등까지 색상의 변화를 줄 수 있

다. 전체 혹은 개별로 색상을 변경하고 튜닝하여 사용한다.

•기계식 부품을 전자식 부품으로 변경: 커피머신의 온도 감지식 감온통이나 기계식 압력 스위치 부위의 감지기를 전자식으로 바꾸고 무접점 릴레이와 온도조절기를 부착해 온도를 미세하게 제어할 수 있다. 현재 구형 라마르조코 리네아 등에는 많은 개조가 이루어져 있다.

〈내부 튜닝〉

까리마리	LED 튜닝	LED 튜닝
컨트롤러	버튼 샷 타임형	보일러 도장작업
아피아	케이스 타공	화재로 보링 튜닝(케이스 없이 사용 중)
까리마리	아크릴과 타공판	옆면 후면 누드 처리

커피 머신의 동파

　겨울철 영하권의 날씨가 지속될 때 매장의 수도배관과 커피 머신 부품들이 차가운 외부온도에 의해 물이 응고점을 지나 부피의 팽창으로 인해 변형 및 파손이 되는 경우를 동파라고 한다. 특히, 겨울철 차량 카페인 경우에는 기온이 영하 5℃ 이하에 도달하면 커피 머신의 게이지부터 변형이 오기 시작한다. 그러므로 겨울철 차량 카페와 매장에서는 기계관리에 세심한 주의가 매우 필요하다. 커피 추출기와 제빙기 등은 물을 사용하고 물이 항상 들어가 있으므로 주변 온도가 영하권이 되면 동파의 위험성이 매우 높다.

〈동파된 부품〉

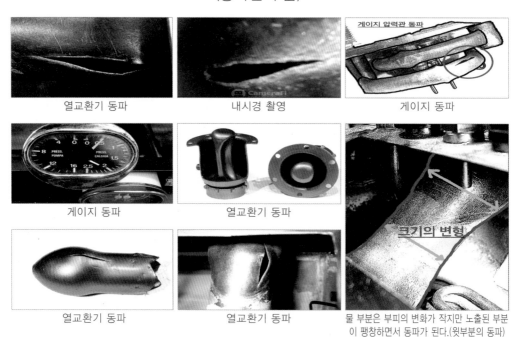

열교환기 동파	내시경 촬영	게이지 동파
게이지 동파	열교환기 동파	크기의 변형
열교환기 동파	열교환기 동파	물 부분은 부피의 변화가 작지만 노출된 부분이 팽창하면서 동파가 된다.(윗부분의 동파)

[동파의 유형]

•수도배관의 동파

수도배관이 얼지 않도록 단열 처리를 해주거나 고무로 코팅된 삽입형 동파 방지 열선 (온도 센서형)을 이용하여 배관의 동파를 막을 수 있다. 가격도 저렴하다.

※수도가 언 경우는 배관을 녹여서 사용할 수 있으나 파손된 경우는 교체해야 한다.

•열교환기의 동파

①일체형의 동파: 수리가 어려우므로 보일러를 교체해야 하는 경우가 많다.

②분리 가능한 형태의 동파: 열교환기의 교체가 가능하고 용접도 가능하다(레네카, 라심발리 일부 기종).

③제빙기 수냉식 열교환기의 동파

수냉식 열교환기 동파   제빙기 열교환기 동파

㉠열교환기를 콘덴서라고도 하는데, 수리는 어렵고 열교환기 자체를 교체해야 한다.

㉡열교환기의 동파 사실을 모르고 계속 작동시킨 경우 제빙기 각 배관을 따라 압축기, 에바, 수액 분리기까지 물이 유입되어 제빙기를 폐기해야 할 수도 있다.

㉢증상이 의심되는 경우에는 수도를 잠그고 제빙기 작동을 중지한 다음, 점검 및 수리를 받아야 한다.

•스팀압력 보일러의 동파: 보일러 내부에 물이 60~70% 정도 차 있지만, 30~40% 공기층으로 인하여 보일러가 보호되어 동파가 거의 발생하지 않는다.

- 그룹 헤드의 동파: 달라코르테 등과 같은 독립 보일러 방식은 보일러 결합 볼트 부분이 파손되어 수리나 재사용이 어렵고 그룹 헤드를 교체해야 한다. 특히 커피 추출 보일러나 그룹 헤드 등은 내부가 100% 물로 차 있으므로 물의 팽창 때문에 동파 발생률이 높다.

- 게이지의 동파: 커피머신이 동파되면 가장 먼저 게이지 바늘의 영점이 맞지 않게 된다. 특히 동파가 며칠 동안 계속 진행되는 경우에는 게이지가 파손되어 누수가 발생하거나 여러 번에 걸쳐 게이지 내부의 팽창관이 변형되어 수리할 수 없게 된다.

- 유량계 동파: 유량계 뚜껑을 고정하는 세 개의 볼트 부분이 파손되거나 변형되어 밀폐 오링이 파손되는데, 유량계 뚜껑과 밀폐 오링을 교체하면 된다.

- 밸브류 동파: 2way 솔레노이드 밸브, 3way 솔레노이드 밸브 내부에도 물이 유입되어 있으므로 파손 될 수 있다. 특히 유동추 외장 케이스 부분이 가장 약하므로 크랙으로 인한 누수가 발생하는데, 이럴 경우에는 부품을 교체하여야 한다.

- 배관의 동파: 커피머신의 배관 중 상부 배관보다는 하부 배관에서 동파가 많이 발생하는데, 하부 배관에 물이 유입되어 있기 때문이다. 수리 시 배관을 용접하거나 교체한다.

- 정수기 필터의 동파: 겨울철 정수기 필터는 주변 온도가 영하권이 되어 파손되는 때도 있는데, 바로 밸브를 잠그지 않고 장시간 방치할 경우 주변 온도가 다시 상승하여 영상의 기온이 되면 파손 부분에서 물이 새어 나와 매장을 물바다로 만들 수도 있으니 주의해야 한다.

[겨울철 동파 방지를 위한 관리방법]

- 카페 커피머신 관리: 장비가 설치된 장소의 실내 온도를 영상으로 유지한다.
- 차량카페 커피머신 관리: 사용 중에도 영상으로 유지해주며, 영업 종료 후에는 아파트 지하주차장 등을 이용하여 차량과 기계를 영상으로 유지해준다.
- 커피머신을 장기간 보관할 때 관리방법
 ①열교환기와 그룹 헤드의 물을 빼준다.
 ②유량계의 뚜껑을 열어서 팽창으로 인한 파손을 방지한다.
 ③2way, 3way 솔레노이드 밸브도 열어서 공기압축기를 사용하여 공기로 물기를 제거한다.
 ④게이지 뒷면의 연결 부분을 풀어준다.
 ⑤각 배관의 연결 부위를 느슨하게 풀어주고 압축 공기를 이용하여 물기를 제거한다.
 ※차량카페는 단열이 어려워 겨울철 동파에 취약하다.
- 겨울철 차량카페 내부 동파방지를 위한 보온시 히터나 난로 등은 커피머신 아래쪽 차량내부 바닥면에 설치하여야 한다.

제7장 커피머신의 고장 증상과
수리점검 Q&A

1. 그룹 헤드의 커피 추출량이 서로 다릅니다.

추출 총량이 다른 것은 일반적으로 유량계 감지의 불량이나 메인보드의 세팅 값이 다른 경우이다.
- 그룹 한쪽이 적게 나오는 경우
 ① 그룹을 다시 세팅한다.
 ② 과수압 밸브로 누수가 되는지 확인한다.
 ③ 주 그룹을 먼저 세팅하고, 다른 쪽 그룹을 2차 세팅한다.
 ④ 그룹 헤드 내부의 지클러 뭉치 하단 오링 파손(E61 헤드 종류 사용 시)
- 한 그룹은 정상이고 다른 그룹은 더 많이 나오는 경우
 ① 유량계의 스케일 점검(유량계의 회전비가 적게 나오는 경우)
 ② 추출속도는 원두 가루의 굵기 및 투입량에 따라 달라진다.

2. 포터필터 투샷 스파우트 양쪽의 추출량이 서로 차이가 납니다.

포터필터 스파우트 내부의 청소 불량(스파우트 내부 홈에 이물질이 쌓인 경우)

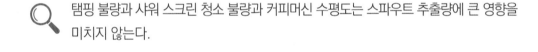 탬핑 불량과 샤워 스크린 청소 불량과 커피머신 수평도는 스파우트 추출량에 큰 영향을 미치지 않는다.

3. 추출 버튼, 온수 버튼 작동 시 머신이 꺼지고 켜지고를 반복합니다.

메인보드 불량: 커피가 추출이 안 되고 꺼졌다가 켜지면서 대기모드로 가거나 꺼지는 경우임

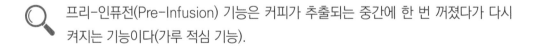 프리-인퓨전(Pre-Infusion) 기능은 커피가 추출되는 중간에 한 번 꺼졌다가 다시 켜지는 기능이다(가루 적심 기능).

4. 세팅한 물량보다 많은 커피가 계속 추출됩니다.

•버튼이 추출 도중 깜박거리고 에러 메시지가 표시되는 경우
•액정방식의 경우는 플로우메타 알람이라는 메시지가 표시되는 경우
 ①유량계 상부 코일(코일의 단선, 단락)을 확인한다.
 ②2그룹의 경우 서로 바꾸어 확인한다.
 ③유량계 내부의 이물질 제거 및 스케일 제거

 유량계 급수 및 출수 라인에 막힌 것을 뚫어줌(에러 메시지는 동일함)

5. 커피 추출 중 포터필터 윗부분에서 물이 새어 나옵니다.

일반적인 머신에서는 포터필터 추출 개스킷이 경화되거나 훼손된 경우 물이 새어
나오는 경우임.

 1. 그룹 헤드 접합 개스킷이 훼손된 경우 물이 새어 나옴(클럽, 시에틀)
 2. 그룹 헤드 쪽 3way 솔레노이드 밸브 접합 부위 급수관 오링 손상(카사디오, E61)

6. 물이 급수될 때 소음이 심합니다.

•물 공급이 원활하게 되지 않는 경우
 ①싱크대 내부에 있는 잠금 밸브가 열려 있는지 확인함.
 ②싱크대 내부에서 커피머신까지 연결되는 수도 호스가 접히거나 꺾인 부분이 있는지
   확인함.
 ③정수 필터가 막혔는지 확인하고 막혔으면 필터 교체함.
•수도의 입수 출수 배관의 압력편차로 인한 경우

 급수 배관의 해머링 현상(감압변, 체크밸브 사용으로 개선 가능함)

•2way 솔레노이드 밸브가 안 열리는지, 2way 솔레노이드 밸브 지클러 고장인지
 확인함.

•모터의 펌프 헤드가 불량인 경우에도 소음이 발생할 수 있다.

🔍 펌프 헤드의 내부에 있는 베어링이 마모되거나 펌프 헤드에 부하가 걸려 소음이 발생함→펌프 헤드 수리 및 교체

7. 스팀과 온수가 나오지 않아요.

보일러가 가열되지 않는 경우
•압력 스위치 점검(스위치 압력 조정 및 점검 교체)
•과열 방지 스위치 점검

①과열 방지 스위치가 Off 상태이면 버튼을 강하게 눌러 On 상태가 되게 함
②물이 차 있지 않은 상태에서 보일러 내부의 히터가 과열되면 과열 방지 스위치는 Off 상태로 전환됨
•저수위 감지봉의 접점이 불량인지 점검함
•PID 방식의 경우 메인보드 불량 무접점 릴레이 확인

8. 영업 중에는 정상이었는데 영업 마감 후 출근해보니 보일러가 만수 되어 있고 바닥에 물이 고여 있습니다.

낮에 주변상가에서 물을 많이 사용하면 수압이 낮아지지만 심야에 주변상가들이 문을 닫으면 수압이 극대화되어 커피머신과 부품의 취약한 부분에 물이 통과하게 된다.
•감압 밸브 설치(대기 수압이 높은 경우)
•급수 밸브(2way 솔레노이드 밸브) 교체
•수동 급수 밸브 점검(원상 복귀시켜 줌)

9. 매장 오픈 후 커피를 추출할 때 바로 추출이 안 되고 버튼을 수차례 눌러 물을 빼내야 정상 추출이 됩니다.

•온수의 역류: 그룹 헤드의 가열로 인해 그룹 헤드 압력이 팽창하여 커피 추출수가

역류하는 경우임→ 머신의 체크밸브를 점검한다.

•급수관 길이가 길 경우→ 커피머신 급수부에 체크밸브를 설치해 준다.

10. 커피머신을 켜면 바로 누전차단기가 내려갑니다.

•커피머신이 꺼져 있는데 차단기가 내려간 경우→ 콘센트 불량, 전선 단락
•커피머신을 켜자마자 차단기가 내려간 경우→ 히팅 코일 누전

 히팅 전원 스위치가 있는 경우 히팅 스위치를 켜자마자 차단기가 내려간다.

•커피머신을 켠 다음에 몇 초 후에 차단기가 내려간 경우
 → 2way 솔레노이드 밸브 누전
•커피머신을 켰는데, 2~3분 후(혹은 히팅이 끝나갈 때) 차단기가 내려간 경우
 → 차단기 불량
•커피머신의 히팅이 끝나기 전에(약 15~20분 사이) 차단기가 내려간 경우
 → 차단기 용량 부족
•커피 추출 버튼을 눌렀을 때 차단기가 내려간 경우→ 3way 솔레노이드 밸브 고장
•펌프 작동 시 누전차단기가 내려간다.→ 펌프 및 펌프 헤드 점검
•히팅 코일 개스킷의 경화로 인해 누수가 되어 누전차단기가 내려간다.
•스팀이 많이 새는 경우 누전차단기가 내려갈 수 있다(진공방지기, 과압력 밸브 점검).

11. 커피 추출 대기 중 그룹 헤드에서 물이 떨어집니다.

3way 솔레노이드 밸브 점검

 1. 솔레노이드 밸브 유동추 밀폐고무 경화로 물이 샐 수 있다.
2. 과수압 밸브가 제대로 작동하지 않을 때도 물이 샐 수 있다.
3. 3way 솔레노이드 밸브 접합 부위 급수관 오링 손상(카사디오, E61)

12. 보일러에서 물이 넘치고 스팀 밸브에서도 물이 계속 나와요.

- 수위 감지봉 스케일 점검 및 제거
- 2way 솔레노이드 밸브 점검 → 15~20bar 솔레노이드 밸브로 교체한다.
- 수동급수장치 점검
- 수압 점검
- 동파로 인한 열교환기 누수 점검
- 메인보드 회로 점검(접지선 점검) → 접지선의 결속 점검
- 접지선을 통하여 다른 전기제품으로부터 전기가 유입되는 경우
- 수도배관이나 하부 냉장고를 통하여 커피머신으로 전기가 유입되는 경우

 보일러 만수 시 펌프의 작동여부를 점검하여 펌프가 작동하면 전기 쪽 불량이고, 펌프 모터의 작동 없이 만수가 되면 부품 파트의 고장이다.

13. 수위감지봉 주변의 누수, 스팀이 유출되고 있어요.

수위감지봉 나사산에 동 와셔나 테프론 와셔, 또는 오링을 끼우거나 테프론 테이프로 감아준다. → 수위감지봉을 잡고 있는 가운데 볼트를 조여 준다. 이때 테프론 테이프가 보일러 내부로 들어가지 않도록 조심한다.

14. 수압 스팀게이지에서 물이 흘러요

- 동파 등으로 인해 압력 감지부의 크랙 등으로 누수 → 수리 및 교체
- 게이지 연결부의 누수 → 분해 후 체결을 정확히 함
- 연결부분에 테프론 테이프를 감아주거나 배관의 연결부분 각도를 정확히 일치시켜 재조립함.

15. 유량계에서 물이 새고 있어요.

- 유량계 뚜껑 주위 → 오링 교체
- 유량계 플라스틱 뚜껑의 누수 → 교체함

아피아, 훼마 머신의 경우 감지부가 플라스틱으로 되어 있어 자주 발생함

• 동파되었을 경우 → 수리 및 교체

16. 히팅 중 또는 머신 가동 중 불규칙적으로 텅텅거리는 소음이 납니다.

• 히팅 코일이 열에 의한 팽창으로 인하여 보일러 벽면 등과 부딪히는 소리
• 스팀 온수 보일러와 히팅 코일의 스케일로 인해 서로 팽창률이 달라져 발생한다.
 → 스케일을 제거하고 히팅 코일을 정렬시키고 조립한다.
• 배관의 해머링 현상(배관의 입수와 출수의 압력 편차로 인하여 배관이 떨리면서 나는 소리) → 체크밸브와 감압변을 설치하고 머신 쪽에 작동압력을 조절해 준다.
• 과압력 배출기가 높은 스팀압으로 인해 스팀을 배출하는 소리(1.8~2.0bar에서 열림)
 ① 압력 스위치 불량 → 압력 스위치 점검 수리 및 교체, 과열 방지기 확인
 ② 스팀 압력이 높지 않다면 릴리프 밸브가 고장이므로 점검 수리 및 교체한다.

17. 커피 추출 중 포터필터에서 물이 샙니다.

• 개스킷의 경화 및 크랙으로 인한 누수 → 개스킷의 교체
• 샤워 스크린의 물이 사방으로 튀면서 일정하지 않을 때
 → 샤워 스크린 청소 및 교체

18. 커피 추출 시간이 느려지며 커피 추출 속도가 느려져요.

 적정량 이상의 원두가 투입되었거나 원두가 미분인 경우 → 그라인더 조정 및 바스켓에 맞는 투입량 조절

 샤워 스크린은 자동 또는 수동 청소를 통하여 항상 청결상태를 유지해야 하며, 청소 불량으로 막힌 경우 추출시간이 길어질 수 있다.

19. 그룹 헤드 볼트가 마모되어 풀리지 않아요.

• 샤워 스크린 고정나사에 커피 찌꺼기 등이 묻어 굳어지면서 발생되는 현상임
 → 그룹 헤드 고정나사와 일치하는 정드라이버를 사용하여 완전 밀착시킨 후 망치로 두드린 후 풀어준다.
• 나사산이 마모되어 도저히 풀 수 없을 때 → 샤워 스크린을 꺾어 바이스 프라이어를 이용해 샤워 스크린을 잡아 돌려 볼트와 함께 제거한다(그룹 헤드 청소 시 솔과 세정제를 사용해서 깨끗이 청소해줌).
• 그룹 헤드에 고정나사 부착 시 내열 그리스를 나사산에 조금 바르고 끼워준다.
• 스테인리스 재질이 아닌 볼트류는 녹이 슬어 잘 풀리지 않는다.

20. 백브러싱 청소 중 버튼이 깜빡거려요.

• 물의 흐름을 감지해주는 유량계가 작동하지 않기 때문이다.
• 수동 청소 시 추출 버튼 램프가 깜빡거리는 것은 정상적인 현상이다.
 → 청소 시 세정제를 넣고 추출 버튼을 10~15초 동안 가동하고 3~5초 동안 정지시키는 것을 약 5회 정도 반복해준 후 세정제 없이 깨끗한 물로 이 과정을 한번 더 반복해준다.

　　자동 백브러싱(역류 세척) 청소 권장: 총 2회(1회는 약품 넣고, 1회는 약품 없이) 일반적으로 세팅 버튼과 1번(1컵 버튼)을 동시에 눌러준다. → 자동 백브러싱

21. 커피를 추출하는데 커피 가루가 많이 섞여 나옵니다.

• 포터필터 바스켓 불량
 ① 바스켓 둘레에 홈(요철)이 생긴 경우
 ② 바스켓망에 크랙이 간 경우
 ③ 잘못된 수세미 청소 방식으로 인해 바스켓망의 구멍이 넓혀진 경우
• 개스킷이 굳어지면서 완전 밀폐가 되지 않거나 개스킷의 파손으로 누수가 되는 경우

22. 그룹 헤드에서 물 흘리기를 할 때 급격히 물량이 줄어들어요.

• 유량계 일부 막힘→물량이 고르게 나오지 않고 나왔다 안 나왔다 반복하며 에어가 섞여 나온다.
• 체크밸브 고장으로 인한 역류 현상→게이지가 반대로 움직이거나 압력이 낮아진다 (체크밸브 고장).

23. 커피를 추출하거나 마감 크리닝 중 포터필터가 '펑' 하고 빠져 나와요.

• 물이 개스킷과 헤드 사이로 들어가 수막현상이 생겨 포터필터가 왼쪽으로 돌아가는 미끄럼 현상으로 인하여 발생한다.
• 개스킷 교체 시 그룹 헤드의 청소 불량으로 물이 개스킷 사이로 침투하여 수막 현상이 발생한다.
• 개스킷 교체 시 기존 개스킷보다 두꺼운 것으로 교체하였을 때도 발생할 수 있다.
  ① 포터필터를 세게 조여주면 수막현상이 경감된다.
  ② 개스킷 교체 시 그룹 헤드에 완전 밀폐시키는 것이 중요하다.
  ③ 포터필터 손잡이를 중앙에 위치시키는 것도 중요하다.
• 3way 솔레노이드 밸브에서 퇴수 라인이 막힌 경우에 발생한다.

24. 그룹 헤드 개스킷을 교체하였습니다. 그룹 헤드에서 누수가 됩니다.

• 개스킷 교체 시 그룹 헤드의 옆면 홈이나 옆면 스크래치로 인하여 누수가 발생할 수 있다.
• 그룹 헤드 개스킷 교체 후 포터필터를 완전 밀착하지 않은 경우 누수가 발생할 수 있다.

 개스킷의 굵기 차이는 포터필터가 많이 돌아가느냐 적게 돌아가느냐를 결정하고, 안쪽 홈이나 밖의 홈들에 많은 영향을 미친다. 내부 청소 불량과 그룹 헤드 내부에 홈이 있는 경우 내열 실리콘을 병행 사용하여 조치한다.

25. 한쪽 그룹 헤드에서는 커피가 추출이 되는데 다른 쪽 그룹 헤드에
    서는 커피가 나오지 않아요.

•유량계 막힘→유량계에 낀 스케일이나 이물질을 제거한다.
•지클러 막힘→송곳을 이용해 지클러 막힌 곳을 뚫어 주고 스케일을 제거한다.
•3way 솔레노이드 밸브 고장
  →커피 추출용 3way 솔레노이드 밸브가 열리지 않는 경우는 수리하거나 교체한다.
•그룹 헤드 급수라인이나 샤워 스크린 등이 막히는 경우
  →스케일을 제거하고 부품을 교체한다.

26. 한쪽 그룹 헤드에서 커피 추출이 끝나거나 추출 중 다른 쪽 그룹
    샤워 망에서 물이 떨어져요.

커피 추출이 되고 있는 그룹 헤드 쪽의 3way 솔레노이드 밸브의 드레인이 막힌 경
우 커피 추출용 3way 솔레노이드 밸브의 플런저가 닫히면서 9bar의 순간 압력이
다른 쪽 그룹 헤드에 영향을 미치는 현상이다.
•3way 솔레노이드 밸브를 높은 압력용으로 교체해준다(10bar→20bar).
•3way 솔레노이드 밸브의 플런저 스프링 이상→3way 솔레노이드 밸브 교체
•3way 솔레노이드 밸브의 플런저 고무패킹의 경화 현상
  →3way 솔레노이드 밸브 교체
•지속적인 누수 발생→3way 솔레노이드 밸브 교체
•3way 솔레노이드 밸브 퇴수라인 막힘→퇴수 배관에 막힌 이물질을 제거한다.

27. 추출 버튼을 누르면 '따따딱' 소리(기계음)나 전자음이나 피리소리
    가 나는데 무슨 문제인가요?

•3way 솔레노이드 플런저와 추출수 인입구의 유격으로 인해 서로 부딪히는 소리
  →3way 솔레노이드 밸브 몸체와 플렌저 케이스 사이의 유격을 적당히 조정한다.
•전자음 소음이 발생하면 3way 솔레노이드 밸브 몸체와 코일 사이에 실리콘 오링을

삽입한 후 조립한다.
- 과수압 밸브의 조립 및 고무패킹의 문제→ 과수압 밸브를 조정하거나 교체한다.

28. 대기상태 그룹 헤드에서 물이 한 방울씩 지속적·간헐적으로 떨어지고 있어요.

플렌저 고무패킹의 노화 및 스케일 등으로 완벽한 밀폐가 이루어지지 않을 때 드레인 호스로도 물이 흘러내릴 수 있다. 이런 경우 청소 불량일 경우도 많다.
- 스케일 제거와 함께 청소 약품을 이용하여 백플러싱을 해준다.
- 플렌저 고무패킹을 교체한다.
- 개선되지 않으면 3way 솔레노이드 밸브를 높은 압력의 제품으로 교체한다.

29. 정수기 필터가 막혔을 경우 어떻게 알 수 있나요?

- 커피 보일러에 물을 공급할 때 소음이 발생한다.→ 입수와 출수의 압력편차
- 냉온믹싱 작동 시 유난히 스팀과 함께 온수 온도가 높을 때
  →냉수 공급이 부족하기 때문
- 정수기 필터가 더 막히게 되면 커피 추출 시 소음이 발생한다.
- 파우셋을 작동시켰을 때 물줄기가 약하다.→ 파우셋을 열어줄때 소음이 감소되면 정수필터를 교체한다
- 온수기에서 정수라인을 작동할 때 물줄기가 약하고 온수기의 물 공급 속도가 느려진다.
- 제빙기와 연결된 경우 얼음이 뿌옇게 나온다. 이것도 물 부족으로 인한 것이다.
- 수냉식 제빙기의 경우 고압 차단기가 전기를 차단시켜 제빙기의 작동이 중지된다.
- 조치
  ①급수밸브를 확인한다.
  ②정수기 필터를 교체한다. 이때 에어를 반드시 빼줘야 한다.

 에어를 빼주지 않으면 압축공기로 인하여 밸브 등이 손상을 입을 수 있다.

30. 커피머신을 끄고 퇴근한 뒤 아침에 가동시킬 때 짧은 시간 동안 '윙' 하는 소리가 나는데 정상인가요?

• 커피머신을 끄고 다시 가동시킬 때 즉시 '윙' 하는 소음이 발생되는 원인은 보일러 안에 있는 물을 보충시켜주는 펌프의 정상적인 가동 소리이다. 그리고 리미니 등의 머신은 물이 정상이어도 물 공급을 감지하기 위한 시스템이므로 걱정할 필요가 없다.
• 체크밸브의 역류 현상으로 다시 물을 보충해주는 현상인 경우도 있다.
 → 체크밸브 점검

31. 펌프 헤드의 압력 조절이 안 되고 누수가 됩니다.

• 압력 조절이 안 되는 경우
 ① 스케일로 인하여 압력조절밸브가 움직이지 않을 경우
   조치: 압력조절밸브를 분해하여 스케일을 제거하고 그리스를 발라 동작이 원활해 지도록 한다.
• 압력조절밸브에서 누수가 되는 경우
 ① 압력조절나사 내부의 밀폐 오링의 경화 및 파손
   조치: 스케일을 제거하고 오링을 교체한 후 동작이 원활해지는지 확인하고 조립한다.

🔍 압력조절나사를 시계 방향으로 돌리면 압력이 높아지고, 시계 반대 방향으로 돌리면 압력이 낮아진다.

32. 커피를 추출하지 않을 때 포터필터를 어디에 둘까요?

그룹 헤드에 느슨하게 장착하는 게 좋습니다.
• 외부에 두었을 때는 포터필터가 식어서 온도가 낮아진다.
• 그룹 헤드에 장착해 두면 헤드와 온도가 같아진다. → 추출온도의 변화가 적다.

33. 커피머신을 끄고 퇴근하는 것이 좋은가요, 아니면 계속 켜놓는 것이 좋은가요?

• 원칙적으로 커피 머신을 지속적으로 가동시키면 전기가 많이 소모되고, 부품들의 수명도 짧아진다.

🔍 메인보드의 일부 부품의 기본 수명(한계점)은 5,000시간인 것도 있으며, 개스킷의 경우도 경화가 빨라진다.

• 아침 일찍 커피머신도 사용해야 하는 매장에서는 커피머신을 끄지 않고 계속 켜놓는 것이 유리하지만, 커피머신도 정기적인 휴식이 필요하다.

🔍 자동차나 컴퓨터를 끄지 않고 계속 켜두면 전기와 부품 등의 소모가 빠르게 진행되는 것과 같은 원리이다.

• 타이머를 사용하여 커피머신의 On/Off를 제어할 수 있다.
• 커피머신을 끄고 퇴근했다가 다음날 커피머신을 가동시킬 경우 머신마다 차이가 있으나, 찬물이 데워지면서 스팀이 발생할 때까지는 약 20~30분 정도 소요되며 어떤 머신의 경우는 40~45분 정도 소요된다. 전체적으로 커피머신이 최적화 되는데 소요되는 시간은 약 1시간 정도가 소요된다.
• 휴일이 있는 경우 머신도 휴식을 취하는 것이 좋다.

🔍 커피머신을 끄고 켤 때 열로 인한 팽창과 수축으로 조임부의 오링, 개스킷 등에 누수가 발생할 수 있다.

1. 머신을 끄고 다니는 매장은 계속 켜놓고 사용하는 매장보다 개스킷의 경화율이 더 적다.
2. 커피머신이 가동과 휴식을 통하여 부품 등의 고장 발생이 많아진다고도 하는데, 실제로는 휴식을 통하여 부품의 수명이 더 길어진다.
3. 일부 견해는 퇴근 시 끄고 출근 시 켰을 때, 스케일 생성이 많아진다고 한다. 커

피머신이 전기히터의 휴식으로 스케일 생성이 더 많아진다는 것은 과학적으로 증명하기 어렵다(조립불량이나 접합 카보가스켓, 오링 등 적절치 않은 부품 사용의 경우 누수 가능성이 많다).

34. 그룹 헤드에서 물 흘리기를 할 때, '치' 하는 소리가 나며 스팀이 섞여 나오네요?

• 그룹 헤드가 과열되어 일부 물이 기체로 팽창해서 온수와 함께 섞여 나오는 과정 이므로 정상이다.
• 대기 후 커피를 추출할 때 열 교환된 물의 일부를 빼주는 것이 필요하다.
• 라스파지알레, 까리말리, BFC, 로켓, 라디오포니카, VBM 등 대부분의 머신에서 이러한 현상이 많이 발생하지만 정상이다.

🔍 냉온 믹싱장치를 가동하지 않고 머신에서 온수를 추출할 때 '치' 하는 소리가 나면서 온수에 스팀이 섞여 나오는 것은 블랙홀 현상으로 인한 것이다. 이러한 현상은 정상이다.

35. 사용하지 않는 커피머신의 관리는 어떻게 하나요?

• 동파의 위험이 없을 때: 보일러의 물과 열교환기 안에 있는 물을 빼준다.
• 동파의 위험이 있는 경우: 보일러의 물과 열교환기의 물을 빼주고, 유량계 동파를 방지하기 위해 유량계 뚜껑을 열어주며, 배관의 팽창을 방지하기 위해 배관의 연결 부분을 풀어준다.

36. 커피머신의 약품 청소는 어느 부분이 청소가 되나요?

• 3way 솔레노이드 밸브 청소
• 샤워망, 그룹 헤드 안에 있는 디퓨저와 스프레이 노즐 청소
• 그룹 헤드 추출 공간 및 연결 라인 청소

약품과 함께 스케일 제거제를 사용해 백플러싱 해줌으로써 3way 솔레노이드 밸브, 샤워망, 디퓨저, 스프레이 노즐, 추출 공간 배수라인까지 스케일 제거 효과를 볼 수 있다.

37. 머신과 연결된 호스에서 배수통으로 물이 계속 떨어집니다.

• 배수통으로 호스를 따라 물이 계속 떨어지는 것은 머신의 과수압을 방지하기 위한 것으로서 정상이다. 물이 너무 많이 떨어지면 압력을 체크하고 압력 조정 및 수리를 해야 한다.
• 커피 추출용 3way 솔레노이드 밸브 퇴수구에 연결된 호스 누수 → 수리 및 교체
 ① 솔레노이드 밸브, 유동추, 고무패킹 등의 마모로 입구를 완전히 밀폐하지 못하여 누수되는 현상
 ② 스케일에 의한 유동추의 작동 이상 시
• 과수압 밸브와 연결된 배관라인의 누수 → 수리 및 교체
 과수압 밸브는 11~12bar로 설정되어 있으나 과수압 밸브의 고장 및 이상으로 누수가 된다. 과수압 밸브의 고무패킹 손상 및 황동의 밀폐 부위의 크랙으로 인해 발생하는 경우가 많다.

 머신 대기상태에서 2~3시간 동안 누수가 계속될 경우 메인보드가 다운되어 버튼이 안 눌러지는 현상이 발생할 수 있다.

※점검 및 조치
 ① 황동 밀폐 부위의 크랙으로 인한 경우 과수압 밸브를 교체한다.
 ② 고무가 경화되거나 파손된 경우 고무판을 교체한다.
 ③ 과수압 밸브를 일자 드라이버나 몽키 등을 이용하여 압력을 조절한다.
 ④ 3way 솔레노이드 밸브를 약품 청소 후 개선이 안 되면 교체해준다.

 수시로 과다한 누수가 있는지 확인한다.

38. 머신이 평소보다 뜨거워진거 같아요.

• 커피머신 위에 천을 덮은 경우에는 내부 공기의 유출이 중지되고 과열이 발생하여 머신이 뜨거워진다.
• 스팀용 릴리프 밸브나 진공방지기에서 스팀이 누증되거나 스팀 탭의 오링 경화로 스팀이 새는 경우도 있으며, 종종 스팀 연결부분이 풀려 누증되기도 한다.
• 압력스위치, 온도감지기 불량일 때

※점검 및 조치
먼저 게이지를 통해 적정 압력인지 여부를 확인하고 압력 조정 및 영점을 맞추어 사용한다.
① 릴리프 밸브를 당긴 다음 놓으면 스팀이 유출되었다가 정지된 다음 지속적으로 누증이 되면 릴리프 밸브를 교체 및 수리해야 한다.
② 진공방지기를 눌러주면 스팀이 유출되고 놓으면 스팀의 유출이 중단되는데 지속적으로 누증이 되면 오링을 교체하거나 부품을 교체한다.
③ 스팀 팁에서 물이 떨어지는 것은 장기간 사용으로 스팀 팁 고무패킹의 경화가 발생해 크랙이 간 경우로 수리하거나 교체해야 한다.
④ 압력스위치의 이상으로 과열된 경우 접점 점검 후 영점을 잡거나 수리 교체한다.
⑤ 무접점 릴레이 온도감지기 등을 점검한다.

39. 그룹 헤드에서 물 흘리기를 할 때 한쪽 그룹에선 여러 갈래로 물이 떨어지거나 물길이 부드럽지 못하고 다른 그룹에선 물이 가운데로 모여 나옵니다.

• 그룹 헤드에서의 물의 분산은 그룹 헤드에 부착되어 있는 분배 노즐과 샤워 스크린의 유지관리 상태에 따라 달라지며 청소 불량, 커피 오일 등 이물질로 인해 막히는 현상이다. 이로 인해 물길이 부드럽지 못하게 된다.
• 물은 표면장력에 의해 항상 형태가 일정할 수 없지만 골고루 부드럽게 유출된다면 정상이다.

※점검 및 수리
①샤워 스크린의 청결 상태를 유지한다.
②매일 마감 시 세정제를 이용하여 역류 세척을 한다.
③각 그룹을 골고루 사용하여 편마모를 방지한다.

40. 온수가 나오지 않아요.

•온수 밸브 고장
•메인보드 고장
•온수 팁이 막힌 경우
•보일러의 히팅이 완료되지 않은 경우

※점검 및 조치
①밸브 및 코일 점검 또는 온수 밸브 교체
②메인보드 및 온수라인 수리 및 교체
③온수 팁 스케일 제거 또는 교체
④스팀 온수 보일러가 정상적인 온도가 되도록 조치한다.

41. 커피 머신을 켜면 그룹 헤드에서 물이 계속 나와요.

커피머신의 비상 버튼(emergency button)이 On인 상태에서 커피머신을 가동시키면, 그룹 헤드에서 계속 물이 나오는 현상이다. 머신 고장으로 오해하는 경우가 많지만 정상적인 현상으로서 비상 버튼을 끄면 된다.

42. 커피를 추출한 후 포터필터를 제거할 때 '퍽' 하고 물이 나오거나 잔여물이 남아 있고 커피 케이크 상태가 좋지 않아요.

•그룹 헤드 샤워망 쪽으로 계속 누수가 되거나 커피를 빼고 난 다음에 커피 케이크에 물이 많이 남아 있거나 포터필터를 그룹 헤드에서 제거할 때 퍽하고 터진다.
•3way 솔레노이드 밸브 자체나 3way 솔레노이드 밸브에서 나가는 배수호스가 막히는

경우이다(커피머신 헤드 위로 배수가 되는 경우 많이 발생한다).

•3way 솔레노이드 밸브 유동추 내의 고무가 경화되어서 막아주지 못하는 경우이다.

 커피분도가 너무 가늘거나 커피투입량이 적은 경우 더 심하게 발생한다.

※점검 및 조치

먼저 게이지를 통해 적정 압력인지 여부를 확인하고 압력 조정 및 영점을 맞춘다.

①3way 솔레노이드 밸브 배수라인을 점검하여 막힌 곳을 뚫어준다.

②호스를 배수통과 연결해 주는 플라스틱 내부를 뚫어준다.

③3way 솔레노이드 밸브를 교체해준다.

④커피 분도를 적당히 조절하거나 적정량을 투입한다.

※커피케이크: 커피 추출 후 포터필터에 남은 커피 찌꺼기를 떼어내면 그 모양이
　케이크 모양과 비슷하다고 해서 그렇게 칭한다.

43. 스팀에서 냄새가 나요.

•우유 유입으로 인한 냄새

•그리스 등으로 인한 냄새

•가루 스케일 등이 섞여 나오는 경우

•이물질 등이 섞여 나오는 경우(노란 색, 검은 색)

44. 양쪽 스팀 중 한 쪽 스팀이 약해요.

•보일러 배관이 스케일 등으로 막힌 경우

•스팀 팁이 막힌 경우

•밸브 쪽 유격이 달라진 경우

•밀폐고무의 압착으로 간극이 좁아진 경우

※점검 및 조치
 ①배관을 빼고 스케일을 제거하여 보일러 쪽 입구를 넓혀준다.
 ②청소 불량: 우유 등으로 막힌 경우 날카로운 송곳 등을 이용하여 스팀 팁의 구멍을
   넓혀준다(아피아의 경우 오른쪽 배관이 잘 막힌다).
 ③육각렌치, 몽키 스패너를 이용해 유격 조정(아피아, 일렉트라, 씨메 등)
 ④밀폐 바이통 고무를 바꾸어 주거나 해당 부품을 교체한다.

45. 펌프 헤드를 교체하고 동시에 2그룹 커피 추출 시 압력이 낮아져요.

•1그룹 추출 시 9bar에 세팅했는데, 2그룹을 세팅하면 압력이 약간 내려간다.
•펌프 헤드의 용량이 낮은 경우(50, 100, 150, 200L의 종류가 있다.)
•커피의 분도가 굵거나 커피 용량이 적은 경우
•지클러가 없는 경우

※점검 및 조치
 ①펌프 헤드를 용량이 큰 것으로 교체한다.
 ②커피의 분도를 잘 맞춘 후 적정 투입량을 투입한다.
 ③콘덴서의 용량을 확인한 후 적당한 콘덴서를 교체한다.
 ④모터회전 rpm이 안 나오는 경우 모터 코일을 수리하거나 펌프 모터를 교체한다.

46. 훼마 E98 그룹 헤드 위 나사산에서 물이 새요. 볼트를 조였는데, 볼트 산이 손상되었어요. 어떻게 해야 하나요?

볼트 안쪽 오링을 교체해야 하는데, 볼트를 과도하게 조인 경우 발생한다.
보통 그룹 헤드를 교체해야 되지만 수리하여 사용할 수 있다.

1. 그룹 헤드에 있는 지클러를 빼내고 조립하여 사용할 수 있다. 커피를 넣고 추출하면 9bar의 압력이 되지만, 커피를 넣지 않고 추출하면 물량이 많아진다. 커피를 추출함에 있어서는 문제가 없다.

2. 유량계 한쪽을 교체한 후 유속이 달라지면 그룹 헤드 위쪽에 있는 육각볼트를 풀거나 잠가서 양쪽 그룹에서 물이 비슷하게 떨어지도록 조절한다.

47. 겨울철 수도가 얼었을 때 어떻게 커피머신을 사용할 수 있나요?

커피머신 쪽 급수라인을 생수통에 담가서 사용할 수 있다. 무압에서 9bar까지 펌프 헤드의 압력을 조정하여 사용한다.

 배관의 공기를 제거한 뒤 사용하면 펌프 헤드가 자흡 기능이 있어서 9bar의 압력을 만드는 데 이상이 없다. 수도배관을 녹인 후 원상 복귀한다.

48. 커피 머신을 구매하고 싶은데, 어떤 점을 주의할까요?

커피머신을 설치하는 장소와 용도에 따라서 결정하는 것이 좋다. 커피만 추출할 것인지, 스팀을 이용한 커피를 추출할 것인지에 따라 종류가 달라진다.

• 가정: 가정은 전기의 용량, 설치 공간, 급수, 배수 등에 따라서 대형보다는 소형, 업소용보다는 오피스텔, 가정용 등이 적합하다.
  ① 주로 자동 머신을 사용하는 경우가 많으나, 사전에 스팀이나 온수 기능을 확인하는 것이 필요하다. 스팀 기능의 활용도의 따라 가격이 달라진다. 구입 전 A/S 사항과 사용의 편의성, 메뉴 등을 확인한 후 구입하는 것이 좋다.
  ② 캡슐, 파드, 가루커피 등을 포터필터로 추출하는 커피머신의 경우 부자재의 가격을 확인하고 A/S를 어디서 받을 수 있는지 확인한 다음 구입하는 것이 좋다.

• 사무실: 주로 소형 자동머신을 사용하고 원두를 넣어서 버튼을 누르면 자동분쇄한 뒤 커피 추출 후 찌꺼기 제거까지 한 사이클로 커피가 추출되는 머신을 사용한다. 원터치 방식으로 모든 과정이 이루어지기 때문에 청소가 매우 중요하다. 수십 종류의 커피머신이 있으며 렌탈하거나 구매하여 사용할 수 있다.

• 커피 전문점
  ① 커피머신을 구매하는 기준은 어떤 형태의 머신을 사용해야 할지 먼저 선택한 후 각 회사별로 추출의 편의성, A/S의 편리성, 머신 관리의 효율성과 함께 외장의 디자인을 중요시할 것인지 아니면 내장의 보일러, 그룹 헤드 등을 중요시 할 것인지 고려하여 구매한다.
  ② 보일러의 용량이 크고 보일러의 두께가 두꺼울수록 포화열이 많아 커피를 안정적으로 추출할 수 있다. 각 회사별로 저가형이라 할지라도 최선을 다해 제작하므로 매장의 규모와 일시적인 최대 추출 잔 수를 예상하고 가성비가 좋은 것으로 구매하는 것이 좋다.
  ③ 차후 A/S 발생에 대한 처리 속도와 수리비용 등도 참고하는 것이 좋다. 최근 인터넷을 통해 구매 시 무상 A/S가 안 되는 경우가 많고 구입처와 설치장소 사이의 거리가 멀어 수리받기 어려운 경우가 발생할 수 있으므로 사전에 서비스 약정을 철저

히 확인하는 것이 필요하고 별도의 설치비와 배송비 등의 비용이 들어가는지 확인하는 것도 필요하다.

④대부분의 커피머신은 수입자가 A/S 책임을 판매자에게 전가시키는 경우가 많으므로 구매한 업체나 판매자가 A/S를 직접 할 수 있는지 여부와 생산자와 수입처에서도 A/S가 가능한지확인하는 것이 필요하다.

⑤가끔 3그룹과 4그룹에 대한 문의가 많이 온다. 4그룹보다는 2그룹 2대가 더 좋지 않을까 생각해보기 바란다. 필자는 사정이 허락된다면 4그룹보다는 2그룹 2대를 사용해 보라고 권장한다. 더불어 2그룹 1대와 1그룹을 권장한다.

•저가형 머신(400만 원 이하)

요즘 판매되는 머신 중에는 저가형이면서도 상당한 품질을 유지하고 판매되는 경우가 많다. 외관은 LED, 내부도 PID이며, 시스템상으로는 중고가 머신과 비슷하다. 다만 내구성에서 가끔 하자가 발생하기도 하지만, 필요할 때 수리하면 된다.

다만 보일러가 작고 열량이 적은 머신은 히팅 면에서 만족스럽지 못하기도 하지만 일반 소규모 카페 등에서는 인기종이다.

•중가형 머신(900만 원 이하)

전자장비가 많이 들어가 있기보다는 보일러가 포화열이 많아 추출이 안정적이고 대량을 추출할 때 온도 변화가 적은 머신을 선택하는 것이 좋다. 중고 머신의 경우 저가형 머신의 금액으로 구입하여 사용할 수 있는 장점이 있으나 구입 시 내부의 상태, 버튼의 상태, 마모도 등을 확인한 후 구입하여 저비용 고효율의 즐거움을 누려보기 바란다.

•고가형 머신(하이엔드급 머신 포함)

각 커피머신 메이커들이 현란하고 세련된 모양과 더불어 전자 장비를 새롭게 탑재하거나 케이스를 투명하게 하여 색상 LED를 삽입하고 크기를 웅장하게 하는 등 디자인에 치중하여 이전의 추출하는 커피머신이라기 보다는 보는 커피머신으로 방향을 전환하고 있다. 요즘은 내용보다는 외관과 모양에 치중하는 경향이 많다. 머신을 선택할 때 나중에 중고 판매가와 차익도 생각해 보고 실제 사용 테스트를 해본 후 구입하는 것이 좋다고 생각한다. 많은 분들이 물품 구매 후 몇 년 사용하지 않고 고가의 수리비와

실익이 없음을 보고 판매를 결정하여 많은 손해를 감수하는 것을 보았다. 어떤 경우는 그냥 폐품 쓰레기 처리하는 경우도 보았다. 언제 출시된 제품인지, 검증이 된 제품인지 확인하고 구입하기 바란다.

49. 온수 밸브에서 물이 조금 나오다 안 나와요.

압력 스위치 방식에서 진공 방지기의 압착으로 건압(공기의 압력)이 걸린 경우 내부의 공기를 유출시킨 후 습압(스팀 압력)으로 채워져야 한다. 보일러에는 공기가 있으면 안 되고 형태를 바꾼 물(H_2O)이 존재해야 한다(히팅의 불안정, 히팅 코일의 일부 단선, 스케일로 인한 온수 팁의 막힘).

50. 지하수 사용 시 필터의 사용은 어떻게 하나요?

연정수 필터를 사용하거나 인산염이 들어가 있는 제품 또는 연수기를 병행 사용하면 좋다.

51. 스팀 밸브에서 먼저 물이 나올 때가 있어요.

스팀이 식을 때 응축수 때문이며, 스팀을 충분히 가동한 후 스팀 사용을 권장한다.

52. 중고 머신 구입 시 업자 판매와 소비자 판매 뭘 체크해야 할까요?

업자 판매는 정비가 되어 있는 경우가 많으며 일정 기간 무상 수리와 설치비용 등이 포함되어 있는 경우가 많다. 소비자와 직접 당사자 거래의 경우 전문가의 도움을 받아 머신을 점검 테스트한 후 구입하는 것을 권장한다. 설치비용, 차후 A/S 비용, 이동 운반 경비, 구입 시 동파나 고장 등을 확인하고 소비자 직거래 보다는 A/S센터나 수리가능업소에서 구입하는 것이 좋다고 생각된다.

53. 신품 구매 시 구매 머신은 뭘 보고 골라야 할까?

디자인적인 취향, 색상 등을 참고하고, 가용 금액, 용량, 형식 등을 감안하여 적은 비용으로 최대의 효과를 낼 수 있도록 공부를 해가며 구매하기 바란다.

54. 스팀 봉이 2개인데 1개에서 스팀이 적게 나오네요?

스팀 배관이 막혔는지 밸브의 유격, 밸브 막힘을 점검한다.

55. 스팀 밸브를 열면 물이 먼저 나온 후에 스팀이 나오나요?

응축수가 약간 나온 후 스팀이 나오면 정상이다.

56. 다른 추출 버튼은 살짝 눌러만 줘도 되는데 한 곳의 추출 버튼은 세게 눌러줘야만 작동이 되네요?

버튼의 접촉 불량 또는 접촉면의 마모 때문이다. 개별로 수리가 가능한 경우 해당 버튼만 수리하면 된다.

57. 커피머신에서 추출 버튼이 5개와 6개가 있는데 차이점이 무엇인가요?

6개는 보통 온수 버튼이 하나 포함된 경우이다.

58. 커피 머신에서 커피 추출 시 펌프가 고장이 나면 추출이 안 되나요?

추출 시간이 현저하게 느려진다. 9bar의 압력으로 추출하던 것이 일반 대기 수압으로 추출되기 때문에 추출 시간이 길어지거나 간혹 유량계가 물 없음 표시를 나타내기도 한다. 원두가루 굵기를 굵게 하거나 투입량을 줄이면 추출은 가능하지만 커피 품질은 보장되지 않는다.

59. 포터필터를 장착하지 않은 상태에서 물을 빼내면 한쪽 그룹에선 여러 갈래로 물이 떨어지고 다른 그룹에선 물이 가운데로 뭉쳐 나와요.

분사처럼 나오는 샤워 스크린 막힘이 아니라면 물의 표면장력으로 인한 것이니 걱정할 필요가 없다.

60. 스팀 밸브를 잠가도 스팀 봉에서 물이 한 방울씩 떨어지네요?

스팀 밸브의 이상이다. 고무패킹 오링의 마모로 인한 것이거나 일부는 영점이나 유격이 맞지 않아 생긴 현상이다.

61. 2~3그룹 커피머신을 사용하는데 1그룹을 사용할 때는 압력이 9bar를 가리키는데, 2~3그룹을 다 사용하면 추출압력이 떨어지는 것은 왜 그럴까요?

펌프 헤드의 용량이 작거나 배관의 굵기가 가는 경우, 원두가 너무 굵을 때 생기는 현상이다.

- 하나의 펌프 헤드가 장착된 경우 펌프 헤드는 모양은 같지만, 50L, 100L, 150L, 200L 등이 있는데 적정한 용량을 사용하도록 권장한다.
- 각각의 그룹별 펌프 헤드를 사용하는 경우 그룹별 세팅 시 과수압 밸브의 압력을 맞추고 굵은 급수배관을 사용하여 압력의 편차를 줄일 수 있다.
- 원두의 굵기와 투입량을 적정선에서 조정한다.

62. 겨울철 수도가 얼어 영업을 하지 못하고 있습니다. 커피머신을 가동할 수 있는 방법은?

커피머신에 물을 공급하는 급수관을 커피머신 배관으로부터 제거한 뒤 커피머신 배관을 물을 채운 물통에 담가 자흡 방식으로 물을 공급할 수 있다. 이때 펌프 압력의 조정이 필요하고 배관에 기포가 발생하지 않도록 주의하면서 사용하면 된다.

63. 날씨가 조금만 추워도 수도배관이 얼어서 영업을 못 합니다.
    해결방법이 있나요?

수도 배관을 따라 고무로 코팅된 전열선을 함께 묶어 전원을 연결하면 자동으로 수도 배관이 얼지 않도록 제어할 수 있다.

제8장 공구 사용법

공구를 손에 잡을 때의 마음

각종 공구 사용 시 주의사항

전기 관련 공구 사용법

수도 관련 공구 사용법

공구 리스트

공구를 손에 잡을 때의 마음

정확한 자세로 몸의 균형을 유지하고 적절한 공구를 사용해야 한다. 정확하지 않은 자세는 사고로 연결된다. 사용 각도나 사용 반경을 너무 크게 하지 말아야 한다.

•집중
작업 상황과 공구 방향에 집중해야 한다. 규격에 맞는 공구를 잘 선택하여 공구와 부품 간의 유격을 최소화하고 공구와 작업자가 하나가 되도록 한다.

•정리 정돈
정리 정돈보다 일이 우선일 수 없다. 사용한 공구는 사용하기 전 위치에 꼭 보관한다. 급한 수리 일정에 쫓겨 환경에 휘둘리다 보면 아무데나 공구를 방치해 정작 공구가 필요할 때 쉽게 찾지 못한다. 경험이 많지 않은 초보자들이 쉽게 빠지는 시행착오이며 분실이 많은 이유이다. 정리 정돈을 하지 않고 일 욕심만 많은 초보자가 되지 않기를 바란다.

•관리 보관
날이 무딘 칼이나 끝이 뭉개진 드라이버, 유격이 큰 상태에서 사용하는 몽키 등은 위험 하기도 하지만 부품을 망가뜨린다. 녹이 슬지 않도록 손질하며 전동공구는 완전 충전 하고 먼지 등을 잘 털어낸 뒤 보관하고 필요에 따라서는 공구를 도색하는 것도 좋은 방법이다.

•반복 작업을 너무 길게 하지 않는다.
하나의 공구로 같은 일을 너무 오래 반복하지 않는다. 긴장감이 떨어지며 반복적인 작업으로 피로도가 누적되어 몸과 정신에 무리가 온다. 잠시 다른 작업을 해서 전체 적인 작업이 안전과 효율면에서 조화를 이루도록 한다.

각종 공구 사용 시 주의사항

[드릴(Drill)]

사용할 때 필요한 대상을 관통하는 순간 가장 조심해야 한다. 드릴 비트가 관통할 때 가속도가 증가하며 수리하고자 하는 대상물의 저항이 사라지기 때문이다. 마지막 순간 사라진 저항으로 몸의 균형을 잃거나 다칠 수 있다. 톱, 망치, 정, 드라이버 등을 사용할 때도 마지막 순간에 더욱 주의를 기울이기 바란다.

[스패너(Box End Wrench & Open End Wrench)]

유격이 없이 조정하고 정확한 규격의 공구를 사용해야 한다. 그렇지 않으면 공구와 부품 사이에 틈이 생겨 힘을 가할 때 공구가 변형이 되기도 하고, 중요한 부품 또한 망가지게 된다. 커피머신 수리는 정교함을 요구하기 때문에 편리성을 위해 나온 mm와 inch 겸용 공구보다는 정확한 사이즈의 공구 사용을 권장한다.

[라쳇과 소켓(Ratchet Driver And Socket)]

렌치나 몽키 스패너에 비해 힘점을 자유롭게 변화시킬 수 있는 라쳇은 원하는 작업을 쉽고 빠르게 할 수 있으며 다양한 사이즈의 소켓을 사용할 수 있는 장점이 있다. 소켓은 라쳇과 결합해서 사용하며 스패너로 작업이 어려운 경우에 사용할 수 있다.

[토크 렌치(Torque Wrench)]

토크는 축을 돌릴 때 필요한 힘을 수치로 나타낸 것이다. 나사를 꼭 필요한 힘으로 조일 수 있는 기준을 설정할 수 있으며 과도한 힘을 주어 나사산 등의 부품이 파손되는 것을 방지할 수 있다. Ft-lbs(feet pounds), in-lbs(inch pounds), kgf-cm 등의 단위로 표시되고 있다.

[몽키 스패너(Adjustable Wrench)]

크기가 고정된 스패너와 달리 몽키 스패너는 사이즈를 조절할 수 있어 편리하다. 사용 시 유격을 최소한으로 줄이고 부품이 파손되지 않도록 크기와 용도에 맞는 사이즈를 선택하여 사용한다.

[펜치류와 바이스 그립(Pliers And Vise Grip)]

펜치, 롱로우즈, 플라이어 니퍼 등은 부품을 잡거나 돌리거나 자를때 사용된다. 바이스 그립은 강하게 잡아 돌리거나 강한 고정을 필요로 할 경우 사용하지만 물리는 부분에 상처가 나기 쉬우므로 바이스 그립의 사용 시 주의가 요구된다.

[드라이버(Screwdriver)]

나사 머리의 형태에 따라 +, –, 육각, 별모양, 삼각형, 타원형 등의 여러 종류가 있다. 머리의 홈과 정확하게 맞는 것을 사용해야 하고, 과도한 힘으로 인해 나사 머리가 망가지지 않도록 주의해야 한다. 사용할 때는 직선을 유지한다.

[망치류(Hammers)]

망치는 내리치는 머리 부분을 철, 고무, 동, 플라스틱, 알루미늄, 우레탄 등의 소재를 사용하여 제작한다. 수리 시 대부분의 부품이 철 망치보다 약하기 때문에 철 망치로 내리치면 부품이 파손될 수 있으므로 동 소재의 망치나 고무망치들을 사용하면 철 망치에 비해 수리해야할 제품의 변형이 적기 때문에 적정한 소재의 망치를 권장한다.

[쇠톱(Hacksaw)]

톱은 철, 나무, 스테인리스, 동, 플라스틱, 아크릴 등을 절단하거나 자를 때 사용하며, 자르는 동안 열이 많이 발생하는 경우 커팅 오일을 뿌려주면서 작업하면 좋다. 최근에는 전동 공구와 이런 종류의 커팅 날이 부착된 공구를 많이 사용한다.

[줄(File)]

줄은 홈을 넓히거나 거친 부위를 갈아내고 마무리할 때 많이 이용한다.

[그라인더(Grinder) 브러시]

커피머신의 수리에서 그라인더를 사용하는 공정이 매우 많다. 다만 알루미늄은 낮은 온도에서 특성상 변형이 올 수 있다. 그라인더 사용시 고열로 인해 변형될 수 있으므로 조심해야 한다. 그라인더로 작업할 때 급한 마음에 세게 누르면 연마석이 부서지거나 작업물이 튀어 변형될 수 있으므로 가볍게 조금씩 작업해야 한다.

[정비 스탠드]

정비 스탠드를 사용하면 올바른 작업 자세와 편한 정비 위치를 선택할 수 있으며 정비 수리의 능률이 매우 향상된다.

[조명등(LED)]

작업할 때 등을 준비하여 밝게 조명하면 능률도 오르고 정밀한 작업이 가능하다. 광원으로는 충전용 LED를 사용하는 게 좋다.

[지렛대의 원리]
부품을 조이거나 풀 때 공구는 손잡이가 길수록 지렛대 원리에 의해 돌리는 힘이 적게 들어 작업이 수월하다. 렌치의 각은 작을수록 작용하는 점이 가까워 돌리기 쉽고 180도에 가까우면 힘점에서 멀어져 작업이 힘들다. 드라이버는 손잡이가 큰 것을 사용하고 특히 라마르조코 나사식 히팅 코일이나 일렉트라 커피머신 그룹 헤드 육각 분해 시 손잡이가 긴 공구를 사용한다. 잘 풀리지 않을 경우 고무망치나 동 망치 등을 이용하여 잘 안 풀리는 부위를 두드리며 풀어준다.

전기 관련 공구 사용법

　손잡이에 절연 처리가 되어 있는 공구를 사용한다. 결속에 있어 저항이 걸리지 않도록 주의하며, 볼트, 저항, 암페어, 콘덴서 등 테스터기의 사용법을 익혀야 한다.

〈테스터기 종류와 사용법〉

납땜 용접기

디지털 측정기

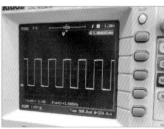
오실로스코프

절연 저항계

아날로그 미세 저항 테스터기

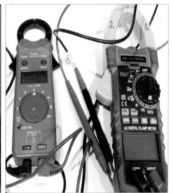
클렘프메타 측정기

일반 테스터기

전기와 저항측정기

출장 시 휴대하는 측정기

•전압 테스터기: AC와 DC에 대한 전압을 측정할 수 있다.

•누전 테스터기(절연저항계): 일반 저항을 이용한 누전 테스터기와 고압(500~1000V)의 전류를 이용한 메가 테스터기가 있다.

•접지 테스터기: 접지선과 N선을 이용하여 전기를 안전하게 사용할 수 있게 해준다.

•콘덴서 테스터기: 콘덴서의 용량을 측량하여 고장 여부를 판정한다.

•TR 측정기: TR을 꽂아서 NPN, PNP를 판별할 때 사용한다.

•암페어 테스터기: 직류 및 교류의 암페어를 측정할 수 있다.

 클램프메타는 암페어를 측정하기가 편리하다.

•헤르츠(Hz) 측정기: 초당 전기의 파장(50Hz, 60Hz)을 측정한다.

•검전기: 전기가 흘러가는 전선을 찾거나 활선을 찾을 때 사용된다.

•멀티테스터기: 회로 측정기와 멀티미터 등이라고 불리며, 직류 및 교류 전류와 전압, 저항, 암페어, 콘덴서 등을 측정할 수 있는데, 내부회로로 전환하여 측정한다. 특히 테스터기는 구입 후 측정항목을 추가할 수 없으므로 구입 전에 측정하고자 하는 항목 및 측정 레인지와 사양을 정확히 파악하는 게 중요하다.

•오실로스코프: 전압이나 전류의 입력 파형의 변화를 음극선관(CRT) 화면을 통해 보여 주는 장치로서 입력의 변화에 따라 파형이 연속적으로 변한다. 전자적인 기기에서 고장난 미세부품들을 측정하기위한 중요한 장비이다.

〈테스터기 사용 사례〉

누전 테스트

암페어 측정

콘덴서 측정(클램프메타)

콘덴서 측정

통전 테스트

🔍 전기의 법칙

전기의 법칙에는 옴의 법칙, 키르히호프의 법칙, 앙페르의 법칙, 쿨롱의 법칙, 줄의 법칙, 패러데이의 전자유도법칙, 렌츠의 법칙, 플레밍의 법칙, 비오-사바르의 법칙 등이 있다. 커피머신과 밀접하게 관련되는 중요한 법칙은 옴의 법칙과 앙페르의 법칙인데, 두 법칙에서 반드시 숙지해야 할 내용은 아래와 같다.

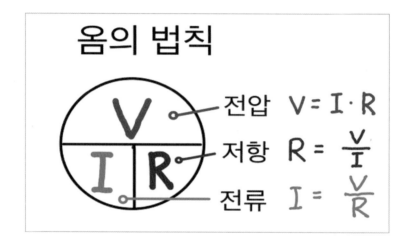

•옴의 법칙: 전류는 전압에 비례하고 저항에 반비례한다.

V(전압)=I(전류)xR(저항)

I(전류)=V(전압)/R(저항)

R(저항)=V(전압)/I(전류)

•앙페르의 법칙: 전류의 세기에 따라 자기장이 변화하는 법칙이다. 자기장의 크기를 테스터기로 측정하여 전류의 세기, 곧 A(암페어)를 측정할 수 있다.

수도 관련 공구 사용법

 수도 관련 공구를 사용할 때에는 조일 때 토크에 매우 주의해야 한다. 너무 세게 조여 부품에 무리가 가거나 균열이 발생하면 시간이 지남에 따라 부품에 누수가 발생할 가능성이 높아지는데 이로 인해 업주, 보험사 등과 분쟁이 발생하여 금전적인 손실로 이어지는 경우를 필자는 자주 보아왔다. 연결 부위의 방식을 잘 파악하고 상황에 맞는 소재를 사용해야 하며, 배관의 접합방식에 따라 정확한 결속이 요구된다.

[배관부품들]

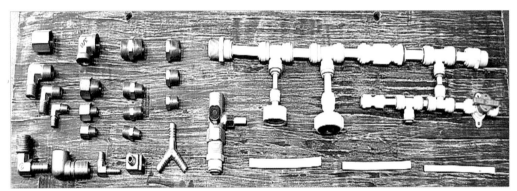
커피 머신 배관 부품

배관 밸브

배관 니플

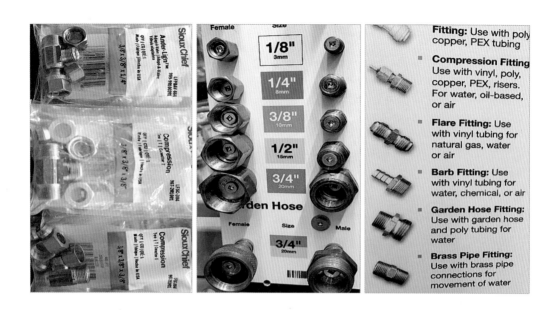

[배관 밀봉 방법]

테프론 테이프는 오른쪽으로 감는다. 나사나 볼트를 돌릴 때 함께 감겨서 풀리지 않도록 한다(테프론 테이프의 감는 방식은 나사산 접합방식에서만 사용된다).

• 고무 오링이나 고무패킹을 사용하여 밀봉하는 경우 토크를 너무 강하게 조여 오링이나 고무패킹이 파손되지 않도록 한다.
• 배관의 볼과 니플등의 결합시 테프론 테이프를 감지 않는다.
※ 커피머신에 있는 부품배관에 원터치 타입의 부품을 연결할 때, 테프론 테이프를 감지 않는다.

[부품과 배관을 조이고 푸는 방법]

풀 때는 왼쪽을 고정하고 오른쪽을 몽키로 돌려서 푼다. 조일 때는 오른쪽을 고정하고 왼쪽을 돌려서 잠근다.

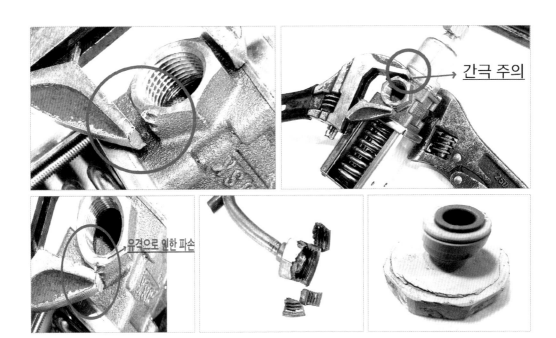

간극 주의

유격으로 인한 파손

공구 리스트

〈장비 리스트 만들기〉

품목		수량	비고	
공구가방	휴대 공구가방	1		휴대성 운반성
	부품용 가방	5		외부충격방지
	작은부품수납	2		플라스틱
정 드라이버	-, +	2		
드라이버	정밀 드라이버 -, +	2~4		
	자동 드라이버	1~2		수동
	전동 드라이버	1		
	긴 + 드라이버	1		
	중간 드라이버 -, +	2		
몽키	스피드 몽키	2		소 중
	경량 30mm	1		가볍고 튼튼하며 큰 볼트를 조일수 있도록 크기별로 1개씩 3개정도
	경량 38mm	1		
	경량 mm	1		
	초박 mm	1		
스트리퍼	자동	1		
	수동	1		
플라이어	18cm	1		

품목		수량	비고	
롱로우즈	길이 18 cm	1		
니퍼		1		
가위	화신	1		
전기 드릴	전동 드릴	1		
	전기 드릴	1		
	핸드 드릴(코너)			
	드릴 날 세트	1~2		
	직소 날(홀쏘)	2	규격	
바이스 플라이어	바이스그립 (미)	1		
	바이스그립 소	1		
	긴 바이스그립	1		
렌치	별 렌치 세트	1		
	육각렌치(밀리)	1		
	육각렌치(인치)	1		
	T자 육각 3mm	1		
	냉동렌치 (사각, 육각)	2		
	스마토 종합 렌치 8~12mm	1		
줄자	5M	1		
톱	쥐꼬리 톱	1		
	쇠 톱날	1		
팁 클리너	산소화구바늘	1		
수평계	소형	1		

품목		수량	비고	
복스	중형 set	1		
	미니 복스 set	1		
	8mm 복스	1		
환 펀치	15pcs 3~25mm	1		
	롤링 펀치	1		
	핀 펀치 3mm	1		
탁상 그라인더	중	1		
	소	1		
콤프레서	1~2마력	1		
디스크 그라인더	보쉬	1		
직소기	보쉬			
냉동	게이지(구냉)	1		
	진공콤프	1		
	확관기, 절곡기	1		
	토치. 산소	1		
스트렙 렌치	체인렌치	1		
버니어 켈리퍼스	전자식, 기계식	1		
망치	고무망치	1		
	철망치	1		
파이프렌치	소형	1		
	중 대형	2		

품목		수량	비고	
그리스	스프레이 그리스	1		
	바세린	1		
	내열(냉) 그리스	1		
	테프론 그리스	1		
	내열 실리콘(적)	1		
	wd-40	1		
	오공본드	3		
	순간 접착제	1		
	피칼	1		
납땜기	인두기	1		
	납	1		
	인두 스텐드	1		
	후락스	1		
줄 set	소형	1		
테스타기	소형, 기계 전자톱	2		
	큰거 (미세저항)	1		
	크렘프 미터	1		
오링류 세트	사이즈별구매		고무, 실리콘, 바이통	
배관자재	필요 사이즈구매		황동 , sus	
기타	케이블 타이, 전선, 수축 튜브, 후래시, 송곳, 자석봉, 전선 테이프, 플러그, 테프론 테이 프, 배수관 등			

※위 공구 및 서비스를 위한 장비는 목록표를 참고하여 자신에 맞는 장비 리스트를 만들어 보시기 바란다.

제9장 부가장비

그라인더

온수기

테이블 냉동 냉장고

눈꽃 제빙기

빙삭기, 크리샤

스티머

캔시머기, 고주파 접합포장기

그라인더

이 책에서는 커피머신과 관련된 부가장비로 간단하게 서술하고 다음 기회가 된다면
카페, 레스토랑, 베이커리, 요식업소의 모든 장비에 관하여 자세히 다루고자 한다.

[핸드밀 그라인더]

[업소용 그라인더]

[그라인더의 종류]

•핸드밀
•소형 전동 그라인더
•에스프레소 전용 그라인터
•드립용 그라인터

[그라인더 청소 방법]

•매일 영업 종료 후 다음 날 사용할 수 있도록 그라인더의 청결을 유지한다.
　①호퍼통에 묻어 있는 커피 오일 및 이물질 청소
　②그라인더의 칼날 청소→ 붓과 공기압축기, 진공청소기 등을 이용하여 청소
　③도저통 내부 청소
　④필요시 그라인더 세정제를 사용하여 그라인더 내부 칼날과 토출구 청소
•일정 기간(월1회) 사용 후 그라인더를 분해하여 청소한 다음 조립하여 영점을 잡아
　사용한다.

①그라인딩 시간이 계속 길어질 때→그라인더 칼날의 마모도를 점검하여 필요시 교체한다.

②완전 분해 후 결합 시 나사산 부위에 윤활유나 그리스를 넣을 경우 사용기간이 많이 지날수록 커피의 분진과 함께 굳어 그라인더를 분해하거나 조립이 쉽지 않게 된다. 따라서 분해 청소 후 재조립할 때 나사산 부위에 윤활유나 그리스를 넣지 않고 나사산의 이물질을 제거하고 깨끗이 청소한 후 부드러운 상태에서 조립한 후 사용한다.

〈그라인더 날의 종류와 마모도〉

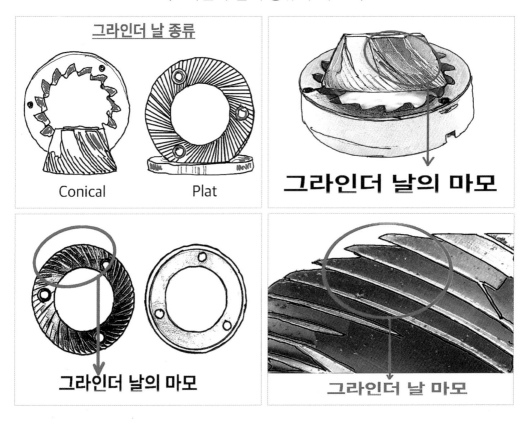

•칼날 교체 시기

①청소 후에도 분쇄시간이 길어지거나 분쇄도가 일정하지 않아 미분이 많이 발생될 때

②그라인더 날의 표면이 마모되어 매끄러워지거나 이물질로 그라인더 날이 파손된 경우

③최근 기술의 발전과 그라인더의 다양성(티타늄, 세라믹, 코니컬형, 플랫형 등)과 원두 로스팅 상태 등의 요인으로 칼날 교체시기를 원두 사용량에 따라 정확하게 지정

하기 쉽지 않다.

•칼날 교체 시 주의사항

①나사 부분을 풀 때, 정확한 공구(일자, 십자, 정드라이버)를 사용해야 한다. 나사산
과 공구 팁의 규격이 일치해야 한다.

②나사산을 풀 때 망치와 정드라이버를 사용하여 나사산의 이물질이 제거되어 풀리
도록 한다.

③그라인더 칼날을 분리한 후 그라인더 내부를 깨끗하게 청소해야 한다.

④새 칼날로 교체한 후 나사를 조일 때 각 나사를 완전히 조이지 말고 번갈아가면서
조금씩 조인 후 마지막에 칼날과의 유격이 없도록 망치와 정드라이버를 이용하여
정확하게 고정시킨다.

⑤그라인더 분도를 재조정하여 영점을 맞춘다.

•일정 기간(월1회) 사용 후 그라인더를 분해하여 청소한 다음 조립하여 영점을 잡아 사용
한다.

[고장 증상 및 수리]

고장이 나면 절대로 그라인더를 켜놓으면 안 된다. 그라인더의 모터가 열을 받아 코일에 화재위험이 있으므로 그라인더를 끈 상태에서 A/S 수리를 받아야 한다.

- 전원이 들어오지 않을 때: 전원 스위치 이상, 콘센트 이상, 그라인더 인입선의 단선 및 단락, 누전 차단→다른 장소로 플러그를 이동해보고 전원 점검 및 수리

- 전원은 들어오는데 작동이 안 되는 경우
 ①버튼을 눌러도 약간의 소리는 나지만 돌아가지 않는 경우
  ㉠콘덴서의 용량 부족(기동이 안 되거나 회전비가 약해진다)
   →용량에 맞게 콘덴서 교체
  ㉡그라인더 날에 이물질이 끼거나 청소 불량인 경우
   →분해하여 이물질을 제거하고 깨끗이 청소한 후 재조립한다.

그라인더에는 절대로 그리스나 WD-40 등을 사용하면 안 된다.

 → 커피의 미세 분진 등으로 인해 굳어져 더 분해가 어려워진다.

※그라인더 분도는 항상 굵은 곳에서 가는 곳으로 조정해 나간다. 만일 반대로 하게 되면 그라인더 토출구가 막히기 쉽다. 따라서 커피를 너무 많이 넣지 말고 조금씩 넣어 분도를 조정한다.

ⓒ그라인더 상부 날과 하부 날이 압착되어 있을 때 그라인더가 작동되지 않는 경우가 있다.

ⓔ액정에 이상한 숫자 또는 그림이 뜨거나 시간이 일정하지 않고 그라인더가 잘 돌지 않는 경우→버튼 보드의 수정진자 고장이므로 수리하거나 버튼 보드를 교체한다.

②버튼을 눌러도 작동상 아무런 반응이 없는 경우

ⓐ안전 스위치(과열 버튼) 작동→수동복귀 버튼을 누른 후 사용한다.

ⓑ메인보드 이상→그라인더는 분진이 많이 날리기 때문에 전기 전자 부품을 주기적으로 깨끗하게 청소해주는 것이 필요하다. 메인보드를 점검하여 고장 부위를 수리하거나 깨끗하게 청소하고 메인보드와 통신선의 이물질을 제거하고 조립한다.

ⓒ버튼스위치 불량→점검 후 교체한다.

※그라인더에 사용되는 버튼 뒷부분의 스위치는 주로 마이크로스위치나 버튼스위치가 사용된다.

ⓔ그라인더 로터리 스위치의 내부 배선의 단선, 스위치의 나사산이 풀려 유격이 발생했을 때 스위치를 돌릴 때마다 내부 배선에 피로도가 누적되어 연결 전선이 단선된 경우→배선을 수리한 후 스위치를 단단히 고정 조립한다.

•그라인더에서 발생하는 통상적인 고장

①그라인더는 분진이 많이 발생하므로 전기 전자부품에 영향을 많이 끼친다. 그러므로 청소가 매우 중요하며, 특히 메인보드, 버튼, 통신 커넥터, 액정 부분에 먼지가 들어가지 않도록 주의하고 주기적으로 청소를 해야 고장률을 줄일 수 있다.

②그라인더는 커피머신에 비해 움직일 수 있는 도구이므로 전선 연결 배선부분에서 고장이 나는 경우가 많다. 또한 콘센트를 사용하므로 콘센트와 접촉 불량, 콘센트 내부 배선의 단선 등이 많이 발생할 수 있다.

③메조 그라인더 도저통을 분해 수리 결합할 때 3mm 핀 펀치, 0.5mm 테프론판 등은 매우 유용하게 사용된다.

④디팅, 말코닉 그라인더 등은 분해하거나 조립할 때 마이크로 스위치, 광센서 등에 유의하여 분해 결합해야 한다.

온수기

국산화율이 매우 높은 품목으로 점점 수입품에서 국산으로 대치되고 있다. 중요 부품은 아래와 같다.

- 온도 센서: 온도를 감지하여 메인보드에 전달해 히팅을 통제하는 역할을 한다.
- 수위 감지봉 및 부레 방식 전자 감지식: 부레 방식을 사용하였으나 수위 감지봉으로 대체되고 있다.
- 메인보드: 메인보드에서 히팅 코일로 220V 출력하는 경우 고장률이 높다.
- 트라이악: 히팅에 관여하며 과열 히팅이 되거나, 히팅이 잘 안 될 때 트락이악을 교체한다.
- 히팅 코일: 히팅 코일 전체에 니크롬선이 들어가 있는 경우 고장율이 많다. 하부의 물에 잠긴 부분에 히팅 코일을 넣어 제작해야 한다. 그렇지 않으면 물 표면에서 상부와 하부의 온도편차로 인해 히팅 코일의 고장이 많다.
- 온수 수동밸브: 스케일로 인해 누수가 자주 발생하는데, 가끔 분해하여 식초에 담가 스케일을 제거한 뒤 식용 그리스를 바르면 오랫동안 고장 없이 사용할 수 있다.
- 급수 밸브: 급수 밸브의 입수구와 출수구 방향에 주의해야 한다. 설치 시 체크 밸브를 설치하여 물의 역류를 방지한다.
- 수압이 높은 경우 감압변을 설치한다(2~4bar).

〈온수기 수리 시 필요한 부품〉

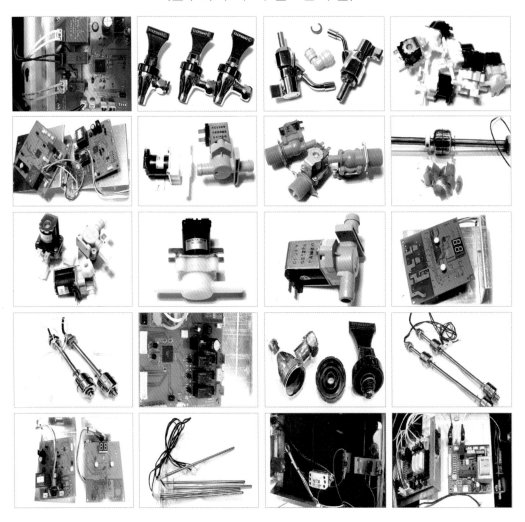

〈싱글 온수기를 듀얼 온수기로 만드는 방법〉

테이블 냉동 냉장고

- 제빙기와 비교할 때 작동 원리는 단순하다. 왜냐하면 압력의 변화와 온도의 변화에 따른 센서와 작동 시스템이 간단하기 때문이다.
- 냉각 방식으로는 직냉식과 팬을 이용한 간접 냉각방식이 있다. 간접 냉각방식이 물품의 보관이나 냉각에 더욱 효과적이고 냉각 속도도 빠르지만, 가격이 고가이다.
- 콤프 용량을 산출할 때 열 손실을 생각하고 적정 용량의 콤프를 설치해야 고장률을 줄일 수 있다.
- 부품
  ① 온도 센서
  ② 컨트롤러(메인보드)
  ③ 삼방향 밸브

④응축기
⑤냉각팬
⑥컴프레서
⑦쿨러

[아이스크림 기계]

• 주로 영하 18℃ 이하의 냉동 시스템으로 우유 등을 이용한 유제품을 급속 즉석에서
아이스크림을 만들어 판매할 수 있는 기계이다.
• 주로 유동인구가 많은 곳이나 관광지 등에서 많이 사용되며, 일반 카페 등 요식업소
에서는 완제품을 납품받아 판매하는 것이 위생관리와 제품 관리에 유리하다고 생각
된다.

눈꽃 제빙기

- 냉동 관련 히트 상품이다.
- 제빙기의 원리를 가져왔지만 탈빙 시 필요한 핫가스 전자변이 없고 제빙드럼에 붙어 있는 칼날을 사용하여 눈이나 면발처럼 만든다.
- 제빙센서, 빈센서 등이 없는 모델이 대부분이다.
- 최근에는 가루 얼음의 저장통이 없는 형태가 많으며, 면발과 같은 모양의 다양한 형태의 가루얼음도 출시되고 있다.
- 최근에는 눈꽃 제빙기의 부피가 작아지며 저장통도 사라지고 있다.
- 제작도 비교적 쉽다.
- 단점은 드럼의 연결 부분에 가스 누출이 생길 수 있어 가스를 주기적으로 보충해야 될 가능성이 많다.

빙삭기, 크라샤

- 고소득, 식문화의 고급화와 더불어 점점 퇴출되고 있는 상품이다.
- 기본은 큐브 얼음을 넣어 가루로 만들거나 작은 덩어리로 깰 수 있다.
- 가루는 빙수를 위한 것이며, 작은 덩어리는 칵테일을 위하여 부수어 사용하기도 한다.
- 한국에서 저렴한 겸용이 출시되었으나 약간 소음이 심하고, 디자인이 세련되지 못하다.
  디자인 문제는 앞으로 해결해야 할 숙제이다.

스티머

온수 및 스팀기가 개발되어 시판되고 있으며 상용화로서는 통조림 조립 라인이나 식품에 사용되고 있는 산업용과 카페에서 사용되는 소형 업소용 스티머 등이 있다. A/S는 커피머신 온수 스팀라인의 수리·유지보수와 거의 동일하다.

캔시머기, 고주파 접합 포장기

- 코로나 사태로 인하여 히트 상품이 되었다. 위생상 청결을 유지할 수 있고, 휴대가 간편하며, 일정 기간 보관할 수 있다는 장점으로 최근 활발한 상용화가 진행 중이다.
- 특히 고주파 접합 포장기는 일회용 컵, 바트 등 다양한 용기에 열을 이용하여 비닐 등 소재와 모재의 열이 다른 용융점을 이용하여 압착하는 방식으로서 니크롬선을 이용하여 압착하는 방식이다. 고주파에서 저주파를 이용하는 방법이 개발되고 있다.

제10장 제빙기

제빙기의 종류

냉동 사이클

냉동 원리

냉동 시스템의 주요 구성품

냉동의 흐름을 제어하는 부품

제빙기의 작동에 관여하는 부품

제빙기 고장 및 수리에 관한 Q&A

제빙기의 종류

[냉각 방식에 따른 분류]

①공랭식: 주변 공기를 냉각팬으로 보내 강제로 열 교환시키는 방식으로, 단점은 여름철 주위온도가 올라가면 냉각속도가 현저하게 저하된다는 것과 먼지가 많이 발생하므로 청소를 자주 해주어야 한다.

②수냉식: 급수밸브나 절수변으로 가압된 물을 열교환기에 통과시켜 냉각시키는 방식으로, 안정적으로 열 교환시킬 수 있다. 단점은 물 소모량이 많아서 수도요금이 많이 나올 수 있다.

③자연냉각 방식: 외부 전기 없이 냉동 냉장에 사용할 수 있는 방식으로 주로 암모니아 가스를 사용하여 약간의 가열을 통해 각 배관에 걸리는 팽창밸브와 체크밸브를 이용하여 냉매를 순환시키며 외부 자연온도에 의해 머신의 벽면에서 냉각시키는 방식이다. 전기 이용이 불가능한 산악 캠핑장이나 노지 등에서 매우 유용하게 사용된다.

④관빙방식: 4각 바트에 물을 채워 냉동고에 장시간 저장 얼리는 방식이다. 지금은 점점 유통이 적어지는 편이다.

[형성 방식에 따른 분류]

①큐브
②프레이크
③가루
④반달
⑤버티칼
⑥셀 방식
⑦물레방아
⑧물 분사
⑨총알
⑩공
⑪눈꽃, 면발

냉동 사이클

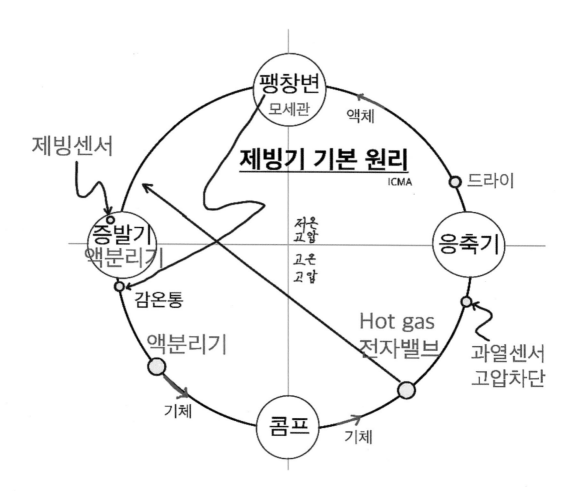

냉동 원리

•물체나 물질의 온도는 그 물질 물체의 분자 활동의 정도를 나타낸다. 온도가 높다는 것은 분자의 활동이 활발하다는 것이다.

•열의 이동: 물과 열은 높은 곳에서 낮은 곳으로 흐른다. 두 물질을 비교했을 때 서로 높은 온도에서 낮은 온도로 열 이동이 시작되는데 이런 현상을 열 교환이라고 한다. 시간이 지나면 뜨거운 물질은 차가워지고 차가운 물질은 온도가 올라가서 결국 둘의 온도가 같아지게 된다. 이것이 열 교환이며 열의 이동이다.

•비등점과 압력: 대기 중에서는 물이 100℃에서 끓지만, 기압을 낮추면 끓는 온도는 낮아지게 된다. 이러한 현상은 압력이 높아지면 100℃ 상태에서 분자가 충분한 에너지를 가질 수 있기 때문이다. 만약 잘 끓고 있는데 뚜껑을 닫고 밀폐를 시킨다면 용기는 압력이 증가하게 되며 물이 더 높은 온도에서 끓게 된다.
만약 압력을 낮춘다면 물을 낮은 온도에서도 증발시킬 수 있다. 그러므로 비등점과 온도와 압력 사이에는 어떤 일정한 관계가 있음을 알 수 있다. 적당한 몇 종류의 물질들을 이용하여 압력과 온도의 관계를 낮은 온도에서도 사용 가능한 상태로 만들어 냉동에 사용할 때 이것을 냉동에서는 냉매라고 부른다.

•응축: 끓는 현상과 반대 현상이다. 이것은 온도와 압력과의 관계가 크다. 물이 끓고 있을 때 열을 제하면 그 분자는 에너지를 잃게 되기 때문에 용기 안은 다시 액체의 원래 상태로 돌아오게 된다. 이것이 응축이다.

•가스: 과거 냉매로는 한 가지 액체만을 사용했지만, 지금은 주로 혼합가스를 사용하거나 신냉매를 개발하여 사용하고 있다. 지금도 일부 선박용 대형 제빙기 등은 암모니아가스를 사용하고 있으나, 현장에서는 냉매가스 R12, R22, R134, R404 등을 사용하고 있지만 현재 업소의 제빙기는 주로 R134, R404의 두 종류로 바뀌고 있다.

※R12와 R22는 오존층 파괴와 환경오염 등으로 점점 사라지고 있다. 한국에서 대체할 수 있는 K12와 R22이 개발되었으나 수요가 많지 않다.R502는 R12와 R22를 섞어서 만들어 제조되었다.

• 현열(顯熱): 물질의 상태 변화 없이 온도가 변화하는 동안 물체가 흡수하거나 전달하는 열량으로 느낌열이라 할 수 있다. 현열은 물질을 가열하거나 냉각했을 때 상변화 없이 온도변화가 되는 열량이다. 증발열, 기화열 등이 있다(예: 물을 10℃에서 15℃로 가열했을 때의 변화온도).

• 잠열: 물질이 온도나 압력의 변화를 보이지 않고 평형을 유지하면서 한 상태에서 다른 상태로 변할 때 흡수 또는 발생하는 열을 말한다.
상태의 변화와 함께 온도가 변화되는 것으로는 융해열(融解熱), 기화열(氣化熱), 승화열(昇華熱) 등이 있다(예: 물 0℃가 얼음 0℃로 변할 때의 열량).
물 온도에 따른 칼로리는 물 1kg을 1℃로 올리거나 내릴 때 필요한 열량(1kcal)을 말한다. 물은 4℃에서 부피가 가장 작기 때문에 호수나 강물은 물이 상부부터 얼기 시작한다. 지구가 보호되고 생물이 살 수 있도록 보존되는 이치이다.

※다음 제빙기 가스 압력표는 다년간 현장수리와 A/S를 통하여 제빙기에 관한 가스 압력 관계를 정립하여 가스 보충과 가스 충전 시 참고해야 할 사항을 도표로 정리한 것이다. 제작원가를 낮추기 위해 부품을 절약한 일부 제빙기에서는 수치가 맞지 않는 것도 있으나, 탈빙 시 냉이 컴프레서로 들어가지 않도록 세심하게 주의하며 아래 표를 참고하여 가스를 보충하기 바란다.

〈제빙기 가스별 온도와 압력표〉

냉매	탈빙 시 압력(24~25°C)	저압 출발 압력	고압 유지 압력(40℃)
134a	1.1	17	132.7
404a	22	52	250.6
R22	15.2	40	207.7
R507	25	55.6	256.4

냉동 시스템의 주요 구성품

• 증발기(에바, 냉판)
동판으로 제작하여 거기에 무전해 니켈 도금을 하여 주로 사용되고 있다. 액체의 냉매를
증발시켜 열 교환을 통하여 대상물의 온도를 낮추는 냉동 시스템의 일부이다. 최근에는
스테인리스를 사용하여 제작된 제품이 출시되고 있으며, 관리와 청결도에서 뛰어나지만
제작상의 어려움이 있어 셀 방식 등에서는 사용하지 않고 버티컬 타입 제빙기에서
선보이고 있다.
※ 스테인리스(스테인리스강): stain(더러움)+less(없음), 즉 더러움이 없다는 의미로 녹슬기
  어려운 강(鋼)이라는 뜻으로 이름이 붙여졌다.

• 압축기(컴프레서, 콤프)
증발기에서 팽창된 냉매가스를 응축기로 보내는 장치이다. 압축기는 흡입 압력과 토출
압력의 차이로 인해 냉동 용량이 결정된다. 밀폐형, 개방형, 반밀폐형(반개방형)이 있다.
이 책에서는 주로 밀폐형을 다룬다.

• 응축기
높은 압력의 냉매의 열에너지를 제거하여 액화시키는 장치이다. 물을 사용하는 수냉식과
공기로 냉각하는 공랭식이 있다.

냉동의 흐름을 제어하는 부품

• 팽창밸브(온도 감지식 팽창밸브)와 모세관
 ① 팽창밸브: 응축된 냉매를 팽창시켜 주변 온도를 낮출 수 있다.
 ② 모세관: 팽창밸브를 대치하기 위해 가는 관을 사용하여 제작원가를 낮춘다.

• 드라이: 냉매 속에 있는 습기 제거

• 핫가스 전자변: 얼음을 떨어뜨리기 위해 제빙판으로 뜨거운 가스를 보내는 장치

제빙기부품

제빙기의 작동에 관여하는 부품

•제빙센서
 제빙기의 얼음이 얼어 있는 상태와 녹은 후의 상태를 감지하여 메인보드(timer)에 신호를 보내주어 다음 동작을 유도한다. On/Off 접점을 이용한 기계식과 저항 값을 나타내는 전자식이 있다. 전자식보다는 기계식이 고장률이 적고 수리가 편리하다. 전자식은 고장인 경우 교체해야 한다.

•빈센서
 전자식, 기계감지식, 광센서 방식, 앞판 마이크로스위치 감지식, 마그네틱 방식이 있다.
 ①기계감지식 빈센서는 0℃를 감지하는 센서로서 영하의 온도를 감지하면 얼음이 차 있는 것으로 인식하여 제빙기를 정지시킨다.
 ※단점: 외부의 온도에 따라 민감한 곳에 제빙기가 설치된 경우 계절에 따라 감지가 달라진다. 온도에 따른 세팅이 필요하다(브레머).
 ②앞판 마이크로스위치 감지식은 위의 단점을 보완하고자 얼음저장고가 얼음으로 가득 차 앞판이 닫히지 않거나 얼음이 쌓여 있으면 스위치를 작동한다(호시자키, 아이스오매틱, 매니토웍 등).
 ③레이저 방식, 적외선 방식 등은 한때 사용되었지만 에러 발생과 고장률 등으로 최근에는 전자식, 기계식 온도감지나 마그네틱 등의 스위치 감지 방식이 주로 사용되는 추세이다.

•타이머(지연 타이머)
 ①균일한 얼음을 얻기 위하여 외부 온도가 달라져도 에바센서에서 감지한 일정 온도를 전달받아 탈빙 시 약 7분 정도 지연타임을 주는 장치이다.
 ②보통 전자식과 기계식이 있다. 기계식은 대표적으로 브레머 제빙기이다.
 ③한국의 제빙기는 대부분 저항 감지식을 사용하고 있으며, 고장 시 영점을 잡거나 수리가 어려워 교체해야 한다.

•메인보드

브레머 제빙기는 마이크로 스위치와 기계식 감지기, 모터 등이 메인보드를 대신한다. 요즘은 주로 전자식 메인보드로 제작되어 판매되고 있으며, 기계식에 비해 수리가 어렵다. 지금도 인기가 있는 기계식 메인보드가 많이 사용되고 있다.

•워터 펌프

물을 에바판에 분사하거나 흘러내리게 하는 방식으로 다양한 모양을 가지고 있다. 110V와 220V를 사용하고 있고 한국의 머신들은 220V로 바뀌고 있는 추세이다. 워터 펌프가 없는 제빙기도 있다.

※ITV 물레방아 방식 제빙기: 일명 총알 얼음 방식이다.

•수위 조절 센서 및 수위 조절관

①수위 조절관은 수위 조절 높이만큼 배관이 되어 있어 그 수위를 넘어 물이 넘치면 물이 흘러 배수되는 방식으로 현재까지도 많이 사용되는 방식이다.

②수위 조절 센서 방식은 원하는 수위만큼 물이 도달하였을 때, 수위를 감지하여 급수를 중단하고 제빙 사이클로 제빙을 시작한다. 저수위 감지 센서가 없다.

③보다 진보된 빙식으로 저수위와 고수위를 감지하는 방식이 있다. 저수위는 탈빙 센서로, 고수위는 제빙 센서로 활용하는 방향으로 발전해 나가고 있다. 두 센서의 간격을 넓히면 얼음이 두꺼워지고, 간격을 가깝게 하면 얼음 두께가 얇아진다. 앞으로 이 부분에 많은 진보가 있을 예정이다.

•배수밸브

제빙수 교환을 위해 핫가스가 들어갈 때 밸브가 열려 제빙 후 남아 있는 제빙수를 배수시키는 역할을 한다(메니토웍, 아이스오매틱).

고압 감지

고압 감지 전기출력

고압 감지기

과열 감지기

광센서

구 냉매용 게이지

냉동저울

드라이 내부

드라이어 내부

릴레이

수냉식 절수변

응축기

모세관

모세관

메니폴드 게이지

브레머 수위봉

압력 감지 절수변

압력감지 전기출력

워터펌프

호시자키 워터펌프

제빙기 기계식 센서

제빙기 압력 감지기

절수변 분해

호시자키 조절기

제빙센서 1

제빙센서 2

제빙센서 3

확관기

타이머 구성품

호시자키 펌프모터

제빙기 에바센서

[설치 시 주의사항]

- 수평에 주의한다.
- 전원 공급은 가능하면 규정용량보다 큰 굵은 선을 사용한다.
- 급수라인은 충분한 급수가 되도록 굵은 배관을 규정에 맞게 사용한다.
- 일부 제빙기는 가동 전 제빙수를 수동으로 충분히 공급한 후 가동한다.
- 제빙기는 물(제빙수, 얼음통에 고인 물, 응축수)이 잘 빠질 수 있도록 배수를 특별히 주의해야 한다.
- 가능하면 용량이 큰 필터를 사용한다. 공랭식인 경우보다는 수냉식에 특히 제빙수와 응축수 급수를 분리하여 정수기 필터를 설치해야 한다.

[작동 시 주의사항]

- 과열: 청소 불량(공랭식), 급수 불량(수냉식)
- 물의 급수가 중단되었거나 필터가 막힌 경우 고압 차단이 될 수 있다.
- 장해 요인을 제거한 뒤 리셋 버튼을 눌러 작동시킨다.

〈제빙기 고장 수리 사례〉

404a 가스충전	게이지	물때 청소 불량
공랭식 응축기	균열	센서 고장
급수펌프 불량	기어모터 수리	브레머 박스 분해
아이스오매틱 회로도	압력 조정	메인보드

응축기 콤프 교체   진공   청소 불량

콤프 드라이 교체   콤프 열교환기 교체   타이머 접점 고장

절수변 교체   제빙센서

증발기 균열   청소 불량 콤프 고장

콤프 교체 1

콤프 교체 2

콤프 교체 가스 주입

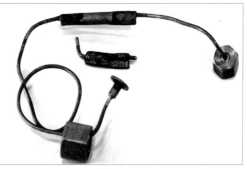

용접 불량

호시자키 제빙기 수리

| 에바(양면 얼음 제조용) | 얼음 조정 | 펌프모터 교체 |

응축기 누수 및 청소 불량   응축기 동파

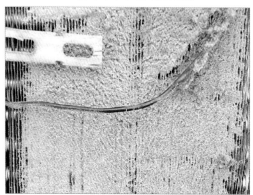

응축기 청소 불량

제빙기 고장 및 수리에 관한 Q&A

1. 제빙기를 작동했는데 얼음이 저장통으로 떨어지지 않아요.

• 에바센서 불량→제빙과 탈빙 신호를 전달하지 못해 생긴 현상인 경우 센서 영점을 조정하거나 교체한다.

• 빈센서 불량: 빈센서에서 얼음이 차 있는 것으로 인식하여 제빙기를 정지시키는 경우 얼음은 형성되어 있지만 핫가스가 들어가지 않고 정지된 상태임→단선이 되어 있거나 빈센서가 고장 난 경우 빈센서를 조정하거나 교체한다.

• 급수밸브 불량: 얼음이 1~2번 정도 탈빙이 되지만 기계는 작동되고 얼음의 생성이 안 되고 물량 부족으로 펌프의 물이 지정된 곳까지 도달하지 못함(펌프 작동 시 '북북'거리는 소리가 난다.)→수도 및 정수필터를 점검하고 급수밸브 쪽의 이물질을 제거하거나 급수밸브를 교체한다.

2. 얼음이 절반만 떨어질 때는 어떻게 해야 하나요?

• 핫가스 전자변을 점검한다.
• 타이머의 시간을 늘려주거나 급수량을 조정하고 제빙기의 수평을 잘 맞추어준다.
• 가스의 압력을 체크하여 적정 압력의 가스를 보충한다.

3. 얼음 저장통으로 물이 넘치고 있어요.

• 급수밸브의 급수량을 체크한 뒤 물량을 조정하거나 교체한다.
• 배수관의 배수 여부를 체크하고, 배수 시 저항이 걸리지 않도록 한다.
• 제빙기의 수평이 앞으로 기울어져 있는지 확인한다.

4. 제빙기 외부 바닥으로 물이 흘러 나와요.

• 급수라인과 배수라인을 점검하여 물이 누수가 되는지 확인한다.

- 급수밸브의 누수를 확인한다.
- 에바판의 윗면 덮개의 상태를 확인하고 누수가 있는 부분을 수리한다.

5. 수냉식 제빙기의 배수물이 차가운 경우 해야 할 일은?

- 가스가 적정량이라면 절수변(regulator)을 조정하여 고압을 적정 압력에 맞추고, 조정이 안 될 때는 절수변을 교체한다.
- 얼음 생성이 잘 안 될 때는 가스가 부족할 수 있으므로 냉매를 보충한다.
- 가스가 새는 경우 그 지점을 찾아 용접하고 진공을 잡은 뒤 가스를 넣어준다.

6. 저장통에 얼음이 넘친다면 조치해야 할 사항은?

빈센서를 조정한 후 불량이면 교체한다.

7. 제빙기 용량보다 얼음의 양이 적게 나올 경우 조치사항은?

- 응축기를 청소한다.
- 냉매를 보충한다.
- 빈센서를 조정하고 불량이면 교체한다.

8. 얼음이 투명하지 않고 회색일 경우 원인은?

- 분사 노즐에 이물질이나 스케일로 인하여 물 분사가 잘 안 될 때 나타나는 현상이므로 분사 노즐의 이물질 등을 제거하고 점검한다.
- 이물질 등으로 인하여 배관이 좁아졌거나 워터 펌프의 힘이 약하여 분사가 잘 안 되는 경우 청소하거나 펌프를 교체한다.
- 급수량이 부족할 경우에도 발생할 수 있다.

9. 구냉매 압력게이지를 많이 사용하는데 압력게이지는 어떤 것이 좋을까요?

- 저압 눈금이 -30~120psi까지 있는 것을 사용한다.

- 저압 측정은 파란색 계기판으로 한다.
- 파란색 라인은 저압, 빨강색 라인은 고압을 체크한다.
- 노란색은 중립으로 가스를 보충하거나 진공을 처리할 때 사용한다.

10. 압축기로 들어가기 전의 냉매의 상태는

- 고온 저압의 기체이다.
- 냉매 액이 콤프까지 들어가면 안 되므로 가스 보충 시 유의한다(콤프는 액 압축기가 아니라 가스 압축기이다).

11. 응축기를 통과한 냉매의 상태는?

액체로 변화되어 모세관이나 팽창밸브를 통하여 에바판에 공급된다.

12. 핫가스 밸브의 위치는 어디인가?

콤프와 응축기 사이에 배치되며, 응축되기 전 핫가스를 에바판에 공급한다.

13. 드라이어가 하는 일은?

- 냉매 내부에 있는 수분을 흡수하여 냉매의 원활한 이동을 돕는다.
- 가스에 습기가 있는 경우 팽창밸브나 모세관이 얼게 되어 냉매의 진입을 방해한다.

14. 급수 전자밸브가 하는 일은 무엇인가요?

- 탈빙 타임에 급수를 하여 얼음을 떨어지게 하며 남아 있던 제빙수를 새로운 물로 교체한다.
- 수냉식인 경우 전자밸브가 열려 냉매를 응축한다(절수변이 있는 경우 전자밸브를 대치한다).

15. 제빙기에 많이 사용되는 용기와 색은 무엇인가요?

- 하늘색: 134a
- 오렌지색: 404a
- 흰색: R12
- 녹색: R22

16. 제빙기 설치 장소에 대한 주의사항은 무엇인가요?

- 제빙기에 물을 공급하는 급수관에 반드시 볼밸브를 설치한다.
- 급수배관은 물이 원활하게 공급될 수 있도록 굵은 배관으로 설치한다.
- 전기 공급은 가능하면 굵은 전선(2.5SQ 이상)을 사용하고 여러 대 설치할 경우에는 기계 전원을 각각 별도로 연결한다.
- 제빙기가 작동되는 적정 수압은 2~6bar이다. 급수되는 수압이 적정 수압을 벗어나게 되면 작동에 영향을 미친다.
- 입수되는 물의 적정온도는 3℃~30℃이다. 온도가 너무 높거나 낮으면 성능에 손상을 초래할 수 있다.
- 기계 주위 온도는 3℃~30℃가 적정하다. 주위 온도가 영하로 내려가는 경우 액 압축이 발생되어 압축기가 고장이 날 수 있다. 또한 주위 온도가 기준치 이상으로 높은 경우 얼음 형태가 좋지 않거나 공랭식 제빙기의 경우 사이클 당 시간이 오래 걸릴 수 있다.
- 설치 장소에 가스 화구와 같은 열기구가 있을 경우 얼음 생산에 영향을 줄 수 있으므로 열기구는 제빙기와 거리를 두고 분리하여 설치한다.
- 제빙기의 설치 장소는 통풍이 잘 되고 유지보수가 쉽도록 옆면과 뒷면의 벽 또는 주변기기로부터 일정한 거리를 유지하여 설치한다.
- 제빙기를 설치한 장소의 온도가 영하일 경우에는 제빙기를 사용할 수 없다. 제빙기를 사용하기 위해서는 주위 온도를 영상이 되도록 유지해주고, 급수되는 물의 온도 역시 영상을 유지해 주어야 한다.

17. 분리형 제빙기의 설치 순서는 어떻게 되나요?

1.저빙고 다리 및 배수구를 조립한다.
2.저빙고의 수평을 맞출 때는 제빙기 다리를 돌려 수평을 맞춘다.
3.제빙기의 연결 부위를 조립하고 선을 조립한다.
4.입구에 밸브를 설치하고 차단기를 설치한다.
5.저빙고 위에 제빙기를 설치한다.
6.각 연결 부위를 조립한다.
7.전기선을 연결한다.
8.배수관을 연결한다.
9.입수 밸브를 연다.
10.전원 스위치를 켜서 전기를 공급한다.
11.기계의 작동상태를 점검 및 세팅한다.

18. 제빙기를 설치할 때 주의사항이 있나요?

• 수압이 낮으면 제빙시간이 오래 걸린다. 수냉식 제빙기일 경우에는 고압 차단기가 작동하여 작동이 멈출 수도 있다.
• 배수 시 저항이 걸리지 않도록 주의해야 한다. 물이 잘 안 빠질 경우 저빙고 안에 물이 차서 얼음이 녹거나 오염될 수 있다.
• 입수관이 호스일 경우에는 중간 부분에 꺾임이 없도록 주의해야 한다.
• 수평을 잘 맞추어야 한다.
• 시험 가동할 때 누수가 발생하는지, 소음이 발생하는지 여부를 확인한다.

19. 제빙기의 관리는 어떻게 하나요?

• 청소를 깨끗이 하여 청결을 유지한다(한 달에 약 1~2회 정도).
• 공랭식일 경우 공기 흐름에 유의하여 먼지를 자주 청소해 준다.
• 영하의 기온과 수온에서는 사용할 수가 없다. 규정된 기온과 수온에서만 사용한다.
• 수냉식일 경우 겨울철 동파 방지를 위해 응축기 안의 물을 빼주고 물을 공급하는

펌프 안의 물도 빼야 한다. 물탱크 내부에 있는 물도 빼야 한다.

- 얼음 보관용 통은 월 1회 이상 깨끗이 청소하여 사용한다.
- 수시로 부드러운 천을 사용하여 기계 표면과 내부를 깨끗하게 청소하여 기계의 부식을 방지한다.
- 물로 청소할 경우에는 전기장치에 물이 닿지 않도록 주의한다.

20. 제빙기 얼음이 균일하지 않아요.

- 물의 양이 적으면 기계에서 '북북북' 하는 소음이 난다.
- 물의 공급이 원활한지 확인 후 정수기 필터를 점검한다.
- 분사 노즐에 이물질이 끼었는지 확인한다.
- 증발기판과 냉매관이 들떠 있는지 확인한다.

21. 분리형 대형 제빙기의 고장 증상과 원인에 대하여 알고 싶어요.

※대형 제빙기에 사용되는 부품은 더욱 다양하다. 유 분리기, 액 분리기, 액 귀환장치, suction filter, 냉매 이동량 확인 창, 소음기, 가스 퍼지, 수액 분리기, 액 귀환 방지 전자변, 저빙고 등이 있다.

※차후 제빙기와 냉동장비에 대한 자세한 내용은 따로 책을 저술할 예정으로, 현재 원고 저술 중이다.

※분리형 제빙기에는 200kg부터 2톤, 5톤, 10톤 등 다양하다. 용량이 큰 제빙기는 카페 얼음 납품업체, 바닷가 얼음 공급업체, 어선 등의 얼음을 생산하는 곳에 설치 된다. A/S는 필자가 직접 경험한 바로는 용량이 클수록 수리가 쉽고 처치가 간단 하였으나 제빙기에 대한 이해가 필요하다. 수익성 있는 일에 여러분도 도전해 보기 바란다.

※필자는 유명한 의료재단의 수입품 암 치료기, 치과 및 냉동냉장이 필요한 의료기기 등을 수리해 보았는데 제빙기를 수리할 수 있는 실력이라면 얼마든지 가능하다는 생각이 들었다. 다만 겁을 먹고 포기한다면 아무 것도 할 수 없다. 과감하게 도전해 보기를 권한다.

•기계가 전혀 작동되지 않는다.
 ①전기가 공급되지 않을 때→단전 상태 및 기계 외부 차단기를 점검한다.
 ②빈 센서가 작동되었다.→얼음이 어느 정도 차 있는지 확인 후 조정한다.
 ③기계의 차단기가 작동되었다.
 ④과열 버튼이 작동되었을 때는 단수와 수압을 확인한 후 초기화 버튼을 눌러 재
  가동한다.

•다른 부품은 가동되지만 압축기만 중지된 경우
 ①압축기의 과부하로 인하여 압축기 overload 작동
  →워터 펌프만 가동 중이라면 내부에 돌고 있는 물의 온도가 미지근할 것이다.
 ②냉매의 양이 현저하게 부족한 경우

•물의 급수가 안 된다(기계는 가동되는데 '웅웅' 소리가 난다).
 ①단수 또는 급수 밸브 점검
 ②필터의 이물질을 제거하고 거름망을 청소한다.
 ③뜨개 밸브에 이물질이 걸리면 밸브를 청소한다.

•제빙기가 작동하다가 중간에 멈춘다.
 ①단수 또는 밸브 점검
 ②고압 차단 스위치 점검
 ③절수변 조절

•탈빙이 잘 안 될 때
 ①핫가스 전자변 불량
 ②전자변 커넥터 접촉 불량
 ③릴레이 접점 불량
 ④냉매 부족

•탈빙 시간이 길다.
 ①냉매의 양 부족

②핫가스 전자변 시트에 이물질이 낀 경우
③핫가스 필터가 오염된 경우

• 제빙 시간이 길다.
 ①냉매의 양 부족
 ②온도 감지기 변형
 ③응축기의 효율 저하(특히 여름철 공랭식 제빙기의 경우→청소 불량)
 ④팽창밸브의 조절 불량 및 변형

• 정상 작동하는데 제빙이 안 된다.
 ①팽창밸브에 수분 침투로 인한 작동 불량
 ②냉매의 양 부족

• 물판이 오르내림을 반복한다.
 ①물판과 증발기 사이에 얼음이 끼었다.
 ②마이크로스위치 작동핀 영점 조정의 불량
 ③릴레이 접점 불량

• 물 펌프의 작동이 중지되었다.
 ①펌프 모터 코일의 고장
 ②전원 릴레이의 접점 불량
 ③펌프 모터에 이물질이 낀 경우
 ④펌프 내부가 얼어버린 경우

• 제빙기에서 물이 계속 넘친다.
 ①뜨개밸브에 이물질이 끼었다.
 ②급수 전자변의 고장
 ③뜨개밸브 및 수위 감지기 조절 불량

•탈빙 시 얼음이 판에 붙거나 엉킨다.
 ①전자변 불량
 ②증발기판이 변형되었다.
 ③설치 수평이 맞지 않았다.

•고장 증상 및 서비스는 어떻게 해야 할까요?
최근 대형 모델은 액정 창에 수리 부품에 대한 메시지가 나타나며 와이파이를 통하여
에러 메시지가 원하는 PC, 핸드폰으로 전달될 수 있도록 개발된 제품도 있다. 특히
일부 원격조정이 가능한 형태로도 발전되고 있다. 세상이 달라지고 있다. 필자는
원리만 알고 부품을 구할 수 있다면 50kg 국산 제빙기를 고치는 것보다 5t의 제빙기
수리가 더 쉽지 않을까 생각한다.

22. 산소 용접 시 압력은 어떻게 해야 하나요?

•용접 작업 시 주의사항
 ①소화기, 방염포, 소환수, 모래 등의 소화 장비를 반드시 비치한다.
 ②용접 작업 시 보안경, 용접 장갑 등을 착용한다.
 ③LPG 용접기의 밸브를 열어서 점화한다.
 ④산소밸브를 열어서 탄화불꽃을 조정한다(약 1000℃에서 1200℃).
 ⑤전체적으로 예열한다.
 ⑥용접봉, 플럭스(Flux), 붕사 등을 사용한다.
 ⑦상하좌우 등을 부드럽게 용접한다.
 ⑧용접이 끝나면 먼저 LPG 밸브를 잠그고 산소밸브를 잠근다.

•산소압력은 1~1.5kg/cm²이고, LPG 압력조정기는 0.2~0.5kg/cm²이다.
※주의: 산소를 먼저 잠그고 LPG를 나중에 잠그면 LPG 불꽃이 바로 꺼지지 않고
 '딱' 소리가 나면서 꺼진다. 이때 액화가 될 수 있다. 그리고 배관이 '꾸르륵' 하면서
 타들어갈 수 있다. LPG를 사용하는 용접기는 화기와 3~4m 이상 간격을 유지하고
 반드시 체크밸브를 설치하도록 권장한다.

23. 냉동기(제빙기) 설치에 대한 전력은 어떻게 되나요?

　압축기의 출력이 1HP라면 전력은 1Kw로 계산할 수 있다. 이것은 일반적으로 압출기 출력의 125%를 제공하기 때문에 여유 공간을 주어 1Kw로 책정한다.

24. 압축기의 일반적인 선당 최대 전류 값에 대해서 알고 싶어요.

- 220V 단상 압축기는 마력 당 4~5A
- 220V 3상 압축기는 마력 당 2~3A
- 380V 3상 압축기는 마력 당 1.1~2A(상황에 따른 판단이 필요하다.)

25. 압축기가 손상될 때 어떤 현상이 일어나나요?

- 압축기에서 '딱딱' 하는 소리가 난다.
- 냉장고, 냉동고, 제빙기 온도가 안 내려간다.
- 차단기가 내려간다.
- 고압 배관에 열이 없다.
- 압축이 안 되어 저압이 평상시보다 높다.
- 압축기의 전류 값이 없다.

26. 냉매가 부족할 때 어떤 현상이 일어날까요?

- 온도가 내려가지 않으며, 얼음이 얼지 않는다.
- 저압이 낮으며 응축온도가 낮아진다.
- 제빙기 에바의 출발 지점만 얼어 있다.
- 증발기에 성에가 많이 끼어 있다.

27. 응축기에 문제가 생기면 어떤 현상이 발생하나요?

- 응축이 안 된다.

•먼지 등으로 인해 응축기가 제 역할을 하지 못한다.
•저압이 높아지게 된다.
•응축기에 열이 많이 발생한다.
•드라이어까지 온도가 올라간다.
•목표치의 온도까지 내려가지 않는다.

28. 압축기가 압축 불량일 때는 어떤 현상이 발생하나요?

•저압이 높다.
•온도가 내려가지 않는다.
•고압이 낮아지며, 온도가 높지 않다.
•전류치가 낮다.

29. 드라이어가 고장이 나면 어떤 현상이 발생하나요?

•냉매 부족 현상과 비슷하게 나타난다.
•드라이 입구와 출구의 온도 차이가 크게 나타난다.
•출구 쪽에 물방울이 생기거나 출구 쪽이 많이 차가워진다.

30. 모세관이 막히면 어떤 현상이 발생하나요?

•드라이어가 막히는 고장과 비슷하다.
•모세관 중 일부에서 응축수가 발생하며 얼기 시작한다.

31. 냉매를 넣는 것은 어느 방향으로 하나요?

•냉매 통의 화살표 방향으로 충전하면 된다.
•가스로 주입할지 액으로 주입할지 판단한 후 화살표 방향을 참고하여 주입하면 된다.
•액으로 충전할 때는 냉매 통을 뒤집어서 주입하면 된다.
•냉매 중 R-422A, R-410A, R-407C 등은 액으로 충전하여야 한다.

•냉매 주입 후 빈 통은 일회용 용기로 재사용할 수 없다.

32. 머신 수리 후 냉매를 주입하는 순서는 어떻게 되나요?

1. 진공 작업 후 이상이 없을 때 냉매를 주입한다.
2. 중립인 노란 색 호스를 냉매 통에 연결한다.
3. 냉매의 주입 방향에 따라 냉매 통의 방향을 결정하여 냉매 충전 호스 안의 공기를 빼준다.
4. 냉매 통을 저울에 올려놓고 영점을 조정한다.
5. 고압밸브를 통하여 80%~90% 정도를 주입하고 저압밸브를 통하여 나머지 냉매를 주입한다.
6. 냉매가 규정량의 충전이 미흡할 때는 제빙기나 냉동고를 가동하면서 냉매 종류에 따라 액상 주입이나 가스 주입을 한다.
7. 냉매 충전이 완료되면 모든 밸브를 잠근다.
8. 기계 테스트 후 아무 이상이 없으면 매니폴드 게이지를 잠그고 모든 밸브를 제거한다.

33. 냉매 보충은 어떻게 해야 하나요?

•핫가스 전자변, 모세관, 드라이어 등의 부품 교체나 수리로 인해 냉매를 주입할 때는 진공 작업 후 냉매를 주입하기 바란다.
•냉매 보충은 매니폴드 게이지의 노란색 호스를 냉매 통에 연결한 후 공기를 제거하고 위 31문항의 4번 냉매 주입방법을 참고하기 바란다.
•저압밸브를 통하여 냉매를 주입한다.
•저압밸브를 잠그고 테스트 후 호스를 제거한다. 냉매 통의 노란색 호스도 제거한다.

34. 냉매별 주입하는 방법이 다른가요?

•제빙기에서는 주로 액으로 주입하거나 가스로 주입해도 무방하다. 단, 가스 선택에 있어 31문항의 4번 주입방법을 보고 참고하기 바란다. 액과 가스 주입이 같은 경우

어느 쪽 방향으로 해도 상관이 없다.
•게이지의 배관을 제거할 때 고압측은 핫가스 시점에서 제거하고, 저압측은 제빙 시점에서 제거한다.

35. 신냉매와 구냉매가 어떻게 다른가요?

•구(舊)냉매는 오존층 파괴의 피해 발생으로 생산과 사용이 금지되었고(대체 냉매가 출시되었다), 신(新)냉매는 압력과 온도가 높아 여러 가지 이점이 있으나 과도적인 과정에 있는 것으로 보인다. 앞으로 냉매는 계속 발전해 나갈 것이다.
•냉매에 따른 압축기 종류와 오일이 다르므로 주의하여 사용하기 바란다(예: 134a를 사용하는 압축기에 404a 가스를 넣으면 고장의 원인이 될 수 있다).
•카페의 제빙기에 사용되는 냉매의 종류는 단순하다. 필자의 경험에 의하면 별걱정 없이 구냉매 게이지를 사용하여 모든 것을 해결할 수 있었다.

36. 브레머 제빙기의 타이머의 배선 위치를 잃어버렸어요. 타이머 배선 위치를 알 수 있나요?

다음 사진은 필자가 이태리제 브레머 제빙기의 배선을 보고 직접 그린 그림이다. 현장에서 A/S 발생 시 매우 중요하니 참고하기 바란다. 브레머 제빙기의 크기와 상관없이 대부분 적용된다.

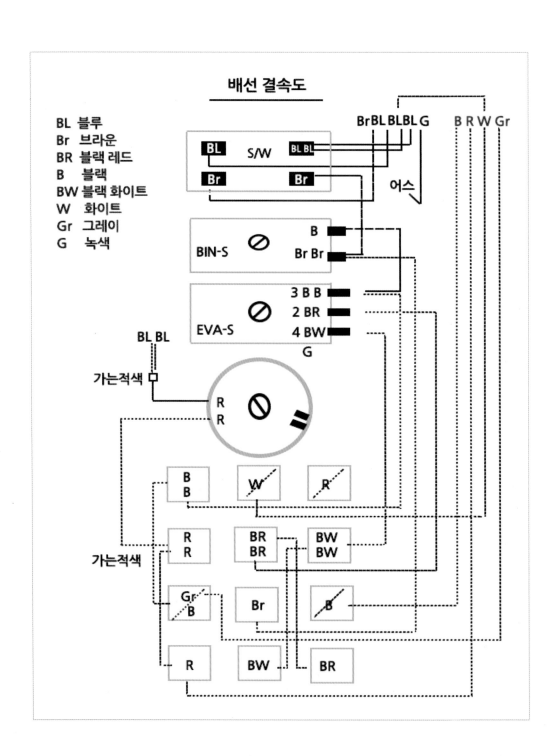

배선 결속도

BL 블루
Br 브라운
BR 블랙 레드
B 블랙
BW 블랙 화이트
W 화이트
Gr 그레이
G 녹색

〈필자의 A/S 부품실〉

책을 탈고하고 히말라야를 다녀 왔습니다.

각 분야에 도전하는 열정적인 모든 분에게
축복과 은혜가 함께 하기를 기원합니다.

Woo Jin Yang